Cynnwys

Arweiniad i'r Cynnwys

Cwestiynau ac Atebion

Rhan 1

Rhan 2

Gwneud y defnydd gorau o'r llyfr hwn

Cyngor i'r arholiad

Cyngor ar bwyntiau allweddol yn y testun i'ch helpu chi i ddysgu a chofio cynnwys y pwnc, osgoi anawsterau, a rhoi sglein ar eich techneg arholiad er mwyn rhoi hwb i'ch gradd.

Profi gwybodaeth

Cwestiynau cyflym trwy'r adran Arweiniad i'r Cynnwys i wirio'ch dealltwriaeth.

Atebion Profi gwybodaeth

1 Trowch i gefn y llyfr i gael yr atebion Profi gwybodaeth.

Crynodeb

- Mae crynodeb rhestr bwled ar ddiwedd pob pwnc craidd er mwyn cyfeirio'n gyflym at yr hyn y mae angen i chi ei wybod.

Patrwm cwestiynau yn yr arholiad

Sylwadau ar y cwestiynau

Awgrymiadau ar yr hyn sydd angen ei wneud i ennill marciau llawn, a nodir gan yr eicon ⓔ

Enghraifft o ateb myfyrwyr

Rhowch gynnig ar y cwestiynau, cyn troi at yr atebion myfyrwyr sy'n dilyn.

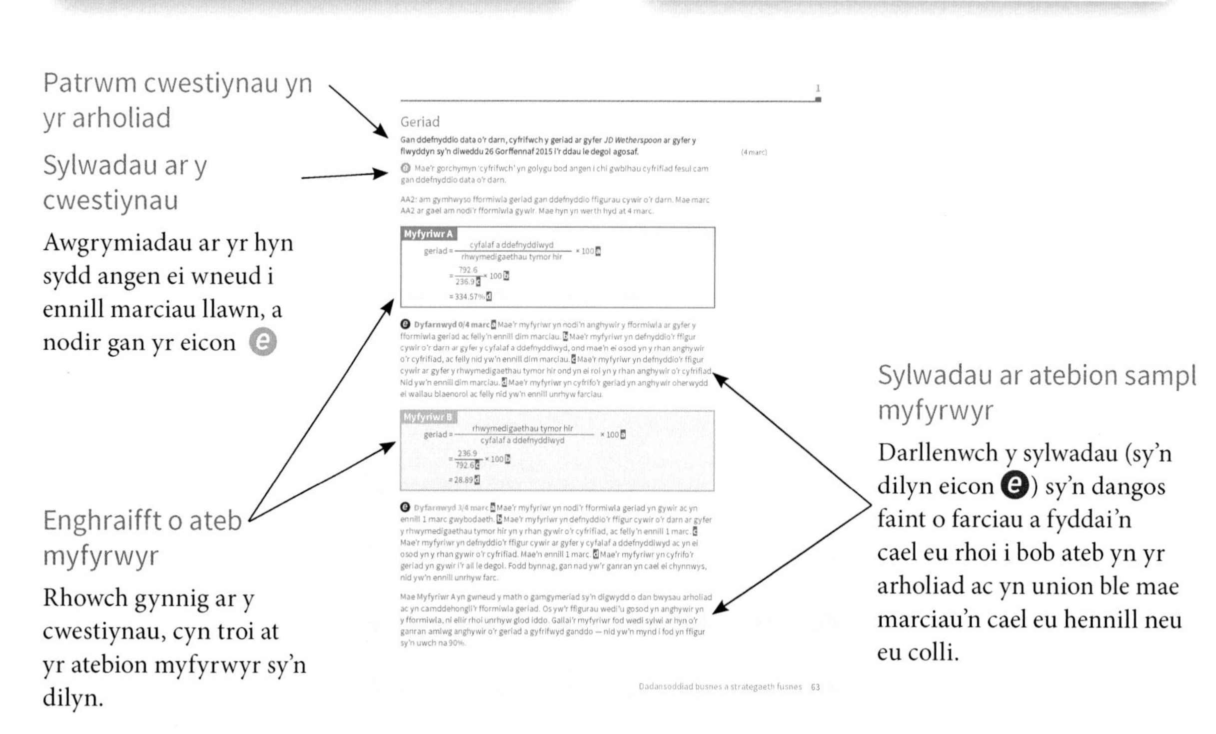

1

Geriad

Gan ddefnyddio data o'r darn, cyfrifwch y geriad ar gyfer *JD Wetherspoon* ar gyfer y flwyddyn sy'n diweddu 26 Gorffennaf 2015 i'r ddau le degol agosaf. (4 marc)

ⓔ Mae'r gorchymyn 'cyfrifwch' yn golygu bod angen i chi gwblhau cyfrifiad fesul cam gan ddefnyddio data o'r darn.

AA2: am gymhwyso fformiwla geriad gan ddefnyddio ffigurau cywir o'r darn. Mae marc AA2 ar gael am nodi'r fformiwla gywir. Mae hyn yn werth hyd at 4 marc.

Myfyriwr A

$$\text{geriad} = \frac{\text{cyfalaf a ddefnyddiwyd}}{\text{rhwymedigaethau tymor hir}} \times 100 \; \text{a}$$

$$= \frac{792.6}{236.9 \; \text{c}} \times 100 \; \text{b}$$

$$= 334.57\% \; \text{d}$$

ⓔ **Dyfarnwyd 0/4 marc** a Mae'r myfyriwr yn nodi'n anghywir y fformiwla ar gyfer y fformiwla geriad ac felly'n ennill dim marciau. b Mae'r myfyriwr yn defnyddio'r ffigur cywir o'r darn ar gyfer y cyfalaf a ddefnyddiwyd, ond mae'n ei osod yn y rhan anghywir o'r cyfrifiad, ac felly nid yw'n ennill dim marciau. c Mae'r myfyriwr yn defnyddio'r ffigur cywir ar gyfer y rhwymedigaethau tymor hir ond yn ei roi yn y rhan anghywir o'r cyfrifiad. Nid yw'n ennill dim marciau. d Mae'r myfyriwr yn cyfrifo'r geriad yn anghywir oherwydd ei wallau blaenorol ac felly nid yw'n ennill unrhyw farciau.

Myfyriwr B

$$\text{geriad} = \frac{\text{rhwymedigaethau tymor hir}}{\text{cyfalaf a ddefnyddiwyd}} \times 100 \; \text{a}$$

$$= \frac{236.9}{792.6 \; \text{c}} \times 100 \; \text{b}$$

$$= 28.89 \; \text{d}$$

ⓔ **Dyfarnwyd 3/4 marc** a Mae'r myfyriwr yn nodi'r fformiwla geriad yn gywir ac yn ennill 1 marc gwybodaeth. b Mae'r myfyriwr yn defnyddio'r ffigur cywir o'r darn ar gyfer y rhwymedigaethau tymor hir yn y rhan gywir o'r cyfrifiad, ac felly'n ennill 1 marc. c Mae'r myfyriwr yn defnyddio'r ffigur cywir ar gyfer y cyfalaf a ddefnyddiwyd ac yn ei osod yn y rhan gywir o'r cyfrifiad. Mae'n ennill 1 marc. d Mae'r myfyriwr yn cyfrifo'r geriad yn gywir i'r ail le degol. Fodd bynnag, gan nad yw'r ganran yn cael ei chynnwys, nid yw'n ennill unrhyw farc.

Mae Myfyriwr A yn gwneud y math o gamgymeriad sy'n digwydd o dan bwysau arholiad ac yn camddehongli'r fformiwla geriad. Os yw'r ffigurau wedi'u gosod yn anghywir yn y fformiwla, ni ellir rhoi unrhyw glod iddo. Gallai'r myfyriwr fod wedi sylwi ar hyn o'r ganran amlwg anghywir o'r geriad a gyfrifwyd ganddo — nid yw'n mynd i fod yn ffigur sy'n uwch na 90%.

Dadansoddiad busnes a strategaeth fusnes 63

Sylwadau ar atebion sampl myfyrwyr

Darllenwch y sylwadau (sy'n dilyn eicon ⓔ) sy'n dangos faint o farciau a fyddai'n cael eu rhoi i bob ateb yn yr arholiad ac yn union ble mae marciau'n cael eu hennill neu eu colli.

Gwybodaeth am y llyfr hwn

Ysgrifennwyd y canllaw hwn ag un bwriad: darparu'r adnodd delfrydol i chi ar gyfer adolygu ar gyfer Busnes a Safon Uwch CBAC.

Wrth astudio'r pwnc byddwch yn ystyried busnes mewn amrywiaeth o gyd-destunau, bach a mawr, cenedlaethol a byd-eang, gwasanaethau a gweithgynhyrchu. Mae'r llyfr hwn yn ymdrin â thema Uned 3 – Dadansoddiad busnes a strategaeth fusnes.

Mae'r adran **Arweiniad i'r Cynnwys** yn cynnig ymdriniaeth gryno, sy'n cyfuno trosolwg o dermau a chysyniadau allweddol â nodi cyfleoedd i chi arddangos sgiliau lefel uwch o ran dadansoddi a gwerthuso.

Mae'r adran **Cwestiynau ac Atebion** yn rhoi enghreifftiau o ddeunyddiau ysgogol a'r gwahanol fathau o gwestiynau sy'n debygol o godi: rhai ateb byr a rhai ymateb i ddata. Maent hefyd yn rhoi esboniadau o eiriau gorchmynnol y gellir eu cymhwyso i unrhyw gwestiwn gyda'r un gair. Esbonnir yr atebion yn fanwl hefyd, gan gynnwys y graddau a gafwyd.

Un broblem gyffredin i fyfyrwyr ac athrawon yw'r diffyg adnoddau ac yn benodol cwestiynau o fath arholiad sy'n ymdrin â meysydd astudio unigol. Mae'r cwestiynau yn y canllaw hwn wedi'u teilwra fel y gallwch gymhwyso eich dysgu tra bydd y pwnc yn dal yn ffres yn eich meddwl, naill ai yn ystod y cwrs ei hun neu pan fyddwch wedi adolygu pwnc wrth baratoi ar gyfer yr arholiad. Ynghyd â'r atebion sampl, dylai hyn roi sylfaen gadarn i chi ar gyfer sefyll eich arholiadau mewn Busnes.

Gwybodaeth flaenorol

Mae Busnes UG a Safon Uwch yn cymryd yn ganiataol nad oes gan fyfyrwyr unrhyw brofiad blaenorol penodol o'r pwnc. Y newyddion da yw bod pawb yn dechrau yn y man cychwyn cyntaf o ran y termau a'r wybodaeth allweddol. Y rhinwedd bwysicaf ar hyn o bryd yw diddordeb yn y newyddion cyfredol am fusnesau sy'n gyfarwydd i chi, fel *Apple* a *McDonald's*. Pwnc yw busnes sy'n gofyn ichi gymhwyso termau allweddol i fusnesau go iawn felly bydd diddordeb mewn busnesau yn y newyddion yn eich helpu'n sylweddol i osod y damcaniaethau yn eu cyd-destun. Yr agwedd hon yw'r rhan ddifyr o'r pwnc, a bydd yn eich helpu tuag at sgorio'n uchel yn yr arholiad.

Arweiniad i'r Cynnwys

Dadansoddi data

Mae'r broses o **dadansoddi data** yn trawsnewid data crai yn wybodaeth ddefnyddiol y gellir ei defnyddio i ddadansoddi sefyllfaoedd busnes. Mae yna amryw o ddulliau, gan gynnwys:

- **Siartiau cylch**, sef math o graff lle mae cylch yn cael ei rannu'n sectorau i gynrychioli cyfran o'r cyfan. Mae'r enghraifft yn Ffigur 1 yn dangos y farchnad gyfan ar gyfer pedwar cynnyrch. Efallai y bydd gofyn i chi gyfrifo a/neu ddehongli'r data, fel cyfran un cynnyrch o'r farchnad.
- **Histogramau**, sy'n cynnwys petryalau y mae eu hardal yn gymesur â pha mor aml y mae newidyn yn digwydd yn y set o ddata.
- **Mynegrifau**, sy'n ffordd ddefnyddiol o gymharu gwybodaeth. Mae mynegrif yn ffigur sy'n dangos pris neu swm o'i gymharu â man cychwyn, sy'n cael ei alw'n sail gwerth. Fel arfer, bydd y sail gwerth yn dechrau ar 100. Er enghraifft, mae Tabl 1 yn dangos costau gweithgynhyrchu mewn gwahanol wledydd ac yn eu cymharu â'r gost yn UDA, gyda UDA yn cynrychioli'r sail gwerth o 100. Roedd costau gweithgynhyrchu'r Weriniaeth Tsiec yn is nag UDA yn 2004, ond yn uwch nag UDA yn 2014.

Tabl 1 Costau gweithgynhyrchu mewn gwledydd dethol o'u cymharu â chost gweithgynhyrchu yn UDA.

Gwlad	Costau gweithgynhyrchu 2004 wedi'u mynegeio (UDA = 100)	Costau gweithgynhyrchu 2014 wedi'u mynegeio (UDA = 100)
Y Weriniaeth Tsiec	96.6	106.7
Canada	104	115.4
Taiwan	92.3	97.2
DU	107.4	108.7
De Korea	98.7	102.4
India	112.7	111.5
Brasil	96.8	123.6

Ffynhonnell: The BCG Global Manufacturing Cost-Competiveness Index, www.bcgperspectives.com

Cyngor i'r arholiad

Rhaid i chi fedru dehongli ystod o ddata mewn gwahanol fformatau ac o wahanol ffynonellau ar gyfer y cwestiynau strwythuredig ac ymateb i ddata.

Crynodeb

Ar ôl astudio'r pwnc hwn, dylech allu:

- cyflwyno, dehongli a dadansoddi data, gan gynnwys siartiau cylch, histogramau a Mynegrifau

Dadansoddi data
Y broses o drawsnewid data crai yn wybodaeth y gellir ei defnyddio er mwyn cyflwyno, dehongli a dadansoddi sefyllfa fusnes.

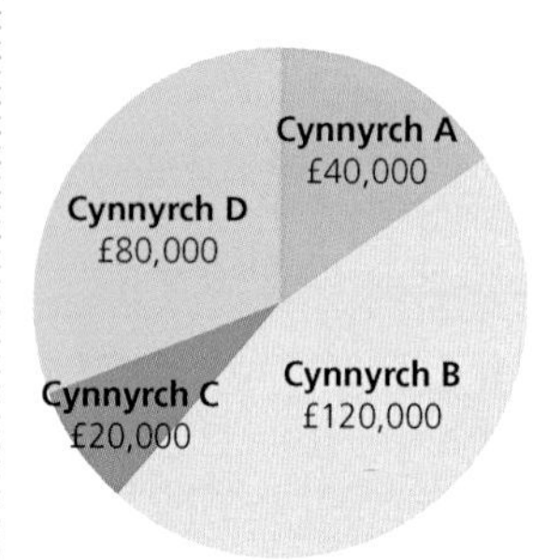

Ffigur 1 Gwerthiant pedwar cynnyrch sy'n ffurfio'r farchnad gyfan

Profi gwybodaeth 1

Rhowch un rheswm pam y mae dadansoddi data yn bwysig i siop sy'n gwerthu cacennau.

Dadansoddi marchnad

Mae'r broses o **dadansoddi marchnad** yn cynnwys casglu gwybodaeth am y farchnad y mae'r busnes yn gweithredu ynddi. Mae hyn yn cael ei wneud er mwyn creu amcanion effeithiol i sicrhau llwyddiant. Gall hyn gynnwys casglu gwybodaeth am faint y farchnad, cyfran gymharol y busnes o'r farchnad, a chefndir economaidd a gwleidyddol y farchnad. Mae hyn yn arwain at greu strategaethau.

Gall busnes ddefnyddio data meintiol ac ansoddol i ddadansoddi ei farchnad ac anghenion ei gwsmeriaid ar hyn o bryd ac yn y dyfodol.

- Mae **data meintiol** yn cynnwys y defnydd o rifau fel maint y farchnad, twf y farchnad neu nifer y cwsmeriaid sydd gan fusnes — er enghraifft, nifer y dynion 50 oed sydd wedi dechrau beicio yn ystod y flwyddyn ddiwethaf.
- Mae **data ansoddol** yn ystyried safbwyntiau a barn, ond nid yw'n rhoi gwybodaeth ystadegol ddibynadwy - er enghraifft, holi beicwyr pa mor gyfforddus i'w wisgo yw'r dyluniad crys newydd.

Dadansoddi marchnad Y broses o gasglu gwybodaeth am y farchnad y mae'r busnes yn gweithredu ynddi, er mwyn creu amcanion effeithiol i sicrhau llwyddiant.

Elastigedd pris y galw (PED)

Mae'n bwysig i fusnes ystyried faint o nwyddau neu wasanaethau y mae wedi'u gwerthu o'i gymharu â'r prisiau y mae'n eu codi. Gall wneud hyn drwy gyfrifo **elastigedd pris y galw (PED)**. Defnyddir fformiwla, sef newid canrannol ym maint y galw wedi'i rannu â newid canrannol yn y pris.

Elastigedd pris y galw (PED) Mesur yr ymateb yn y galw ar ôl newid yn y pris

Enghraifft

Mae busnes yn ceisio gostwng ei bris i'w gwsmeriaid o £60 i £40. Ar hyn o bryd, mae gwerthiannau yn 15,000, ond mae'r gromlin galw yn Ffigur 2 yn rhagweld y bydd gwerthiannau yn cyrraedd 25,000 gyda'r gostyngiad yn y pris.

$$\textbf{PED} = \frac{\text{newid canrannol ym maint y galw}}{\text{newid canrannol yn y pris}}$$

$$\text{Newid canrannol ym maint y galw} = \frac{(25{,}000 - 15{,}000 = 10{,}000)}{15{,}000}$$

$$= 0.66 \times 100 = 66\%$$

$$\text{Newid canrannol yn y pris} = \frac{(£40 - £60 = -£20)}{£60}$$

$$= -0.33 \times 100 = -33\%$$

$$\text{PED} = \frac{66\%}{-33\%} = 2$$

Casgliad: mae'r gwerth hwn yn golygu bod y galw yn sensitif i bris y cynnyrch Mae'r galw yn elastig, fel y rhagwelwyd yn Ffigur 2.

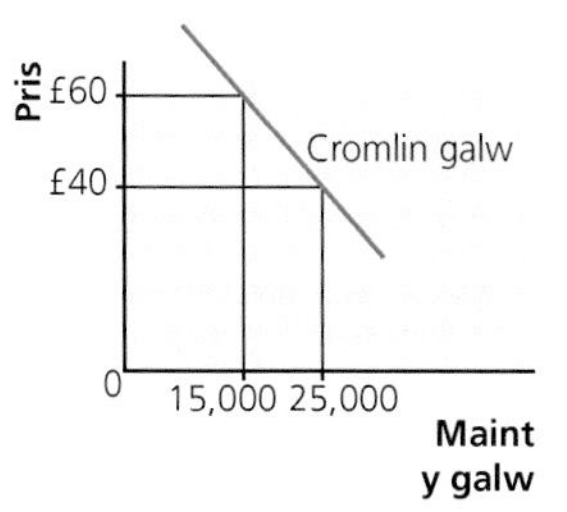

Ffigur 2 Cyfrifo elastigedd pris y galw

Cyngor i'r arholiad

Rhaid i chi fedru cyfrifo, dadansoddi a gwerthuso'r PED ar gyfer cyd-destun busnes penodol.

Profi gwybodaeth 2

Diffinio elastigedd pris y galw.

Dehongli elastigedd pris y galw

Gall y gwerthoedd o gyfrifiadau elastigedd pris y galw roi syniad i fusnes pa mor sensitif, neu elastig, yw ei gynhyrchion i newidiadau yn y pris.

Y gwerthoedd yw:

- **PED = 0 neu lai.** Mae hyn yn golgyu bod y galw yn **gwbl anelastig**. Nid yw'r galw am y cynnyrch yn newid o gwbl pan fydd y pris yn newid. Mae hyn yn golygu mai fertigol fydd y gromlin galw.
- **PED rhwng 0 ac 1.** Mae hyn yn golygu bod y newid canrannol yn y galw o'r cyntaf i'r ail lefel o alw, yn llai na'r newid canrannol yn y pris. Mae'r galw yn **anelastig**.
- **PED = 1.** Mae hyn yn golygu bod y newid canrannol mewn galw yn union yr un peth â'r newid canrannol yn y pris — mae'r galw yn **uned elastig**. Byddai'r cynnydd canrannol ym mhris y cynnyrch yn arwain at union yr un gostyngiad canrannol yn y galw, gan adael y cyfanswm gwariant ar y cynnyrch yr un fath ar bob lefel pris.
- **PED = 1 neu fwy.** Mae hyn yn golygu bod y galw yn sensitif iawn i bris y cynnyrch — mae'r galw yn **elastig**. Byddai cynnydd canrannol ym mhris y cynnyrch yn golygu gostyngiad mwy amlwg yn y galw am y cynnyrch. Er enghraifft, pe byddai pris y cynnyrch yn codi 10%, byddai'r galw am y cynnyrch yn gostwng 20%.

Cyngor i'r arholiad

Trafodwch elastigedd posibl neu ddiffyg elastigedd y galw i'ch helpu i ateb cwestiwn sy'n gofyn am werthusiad.

Gwerthuso effaith elastigedd pris y galw ar refeniw

Ymhlith y ffactorau mae:

- **Nifer y cynhyrchion tebyg.** Po fwyaf yr amnewidion (*substitutes*) yn y farchnad , y mwyaf elastig yw'r galw wrth i gwsmeriaid ei chael yn haws newid i gynnyrch arall, gan leihau refeniw o bosibl. Mae'r effaith gyferbyniol yn digwydd ar gyfer nwyddau sydd ag ychydig o amnewidion.
- **Y gost o newid rhwng cynhyrchion.** Os oes costau ynghlwm wrth newid i gynnyrch arall, yna mae'r galw'n fwy tebygol o fod yn anelastig, gan wneud refeniw yn haws ei gyrraedd a'i gynnal.
- **A yw'r cynnyrch yn foethusrwydd neu'n hanfodol i'r cwsmer?** Mae nwyddau angenrheidiol (*essential items*) yn tueddu i fod â galw anelastig, gan wneud newidiadau mewn refeniw yn llai cyfnewidiol. Ond mae cynnyrch moethus yn tueddu i fod â galw mwy elastig, sy'n golygu bod newidiadau mewn refeniw yn gallu amrywio'n sylweddol.

Gall busnes sy'n gweithgynhyrchu cynnyrch sy'n elastig o ran pris geisio torri ei gostau a gostwng ei brisiau i gynnal refeniw. Fel arall, gall geisio gwneud ei gynnyrch yn fwy anelastig — er enghraifft, drwy frandio neu farchnata. Mae llawer o fusnesau yn gwneud ffonau clyfar, ond mae yna alw am ffonau clyfar *Apple* yn arbennig. Mae *Apple* felly yn gallu codi prisiau uwch a chynhyrchu mwy o refeniw gan fod ei gynhyrchion yn fwy anelastig o ran pris na rhai cystadleuwyr eraill.

Profi gwybodaeth 3

Pa fantais sydd gan nwydd anelastig i fusnes?

Cyngor i'r arholiad

Ceisiwch adnabod yr effeithiau mwyaf perthnasol ar elastigedd mewn astudiaeth achos.

Elastigedd incwm y galw (YED)

Mae busnes yn gallu defnyddio elastigedd incwm i farnu sut y byddai newid economaidd yn effeithio arno. Gall wneud hyn drwy gyfrifo **elastigedd incwm y galw (YED)**. Defnyddir fformiwla, sef newid canrannol (%) ym maint y galw wedi'i rannu â'r newid canrannol mewn incwm.

Elastigedd incwm y galw (YED)
Mesur yr ymateb yn y galw ar ôl newid yn incwm y cwsmer.

Enghraifft

Mae defnyddiwr sydd ag incwm o £20,000 yn prynu 20 o lawrlwythiadau cerddorol y flwyddyn. Yn dilyn cynnydd yn eu hincwm i £40,000, mae'r defnyddiwr hwn bellach yn prynu 40 o lawrlwythiadau cerddorol y flwyddyn (Ffigur 3).

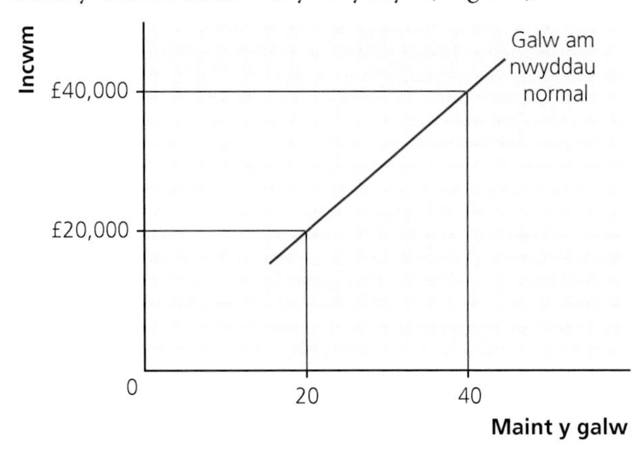

Ffigur 3 Cyfrifo elastigedd incwm y galw: nwyddau normal

$$\textbf{YED} = \frac{\text{newid canrannol ym maint y galw}}{\text{newid canrannol mewn incwm}}$$

$$\text{Newid canrannol ym maint y galw} = \frac{(40 - 20 = 20)}{20} = 1 \times 100 = 100\%$$

$$\text{Newid canrannol mewn incwm} = \frac{(£40{,}000 - £20{,}000 = £20{,}000)}{£20{,}000} = 1 \times 100 = 100\%$$

$$\text{YED} = \frac{100\%}{100\%} = +1$$

Casgliad: mae'r ffigur cadarnhaol hwn yn golygu bod y nwydd (lawrlwythiadau cerddorol) yn nwydd normal. Gan mai 1 yw'r ateb, mae'r galw am lawrlwythiadau cerddorol yn ymateb yn llai na chymesur i newid mewn incwm. Mae hyn yn golygu nad yw'r nwydd yn anghenraid fel bwyd, ond mae'n foethusrwydd cymharol i'r unigolyn. Mae'r galw felly yn sensitif i bris y cynnyrch — mae'r galw yn elastig.

Dadansoddi elastigedd incwm y galw

- Mae gan **nwyddau normal** **elastigedd incwm y galw cadarnhaol.** Wrth i incwm y defnyddiwr godi, mae mwy yn cael ei fynnu am bob pris, felly mae'r cynnyrch yn elastig o ran incwm, er enghraifft pasta neu fara.
- **Mae gan angenrheidiau normal elastigedd incwm y galw cadarnhaol** sydd rhwng 0 a +1. Mae'r galw yn codi'n llai na'r hyn sy'n gymesur â newid mewn incwm.
- **Mae gan nwyddau a gwasanaethau moethus elastigedd incwm y galw cadarnhaol** o fwy na +1. Mae'r galw yn cynyddu'n fwy na chymesur i newid mewn incwm.
- **Mae gan nwyddau israddol elastigedd incwm y galw negyddol**, sy'n golygu bod y galw'n gostwng wrth i incwm godi. Er enghraifft, mae defnyddiwr sydd ag incwm o £40,000 yn prynu 20 jar o goffi y flwyddyn. Yn dilyn cynnydd yn ei incwm i £50,000, mae'r defnyddiwr erbyn hyn yn prynu 18 jar o goffi y flwyddyn (Ffigur 4).

Cyngor i'r arholiad

Rhaid i chi fedru cyfrifo, dadansoddi a gwerthuso'r YED ar gyfer cyd-destun busnes penodol.

Profi gwybodaeth 4

Diffiniwch elastigedd incwm y galw.

Nwyddau normal
Mae gan y rhain elastigedd incwm y galw cadarnhaol, ac mae yna symudiad i'r chwith yn y gromlin galw. Mae hyn yn golygu bod y galw ar bob pris yn cynyddu wrth i'r incwm gynyddu (e.e. dillad, offer yn y cartref).

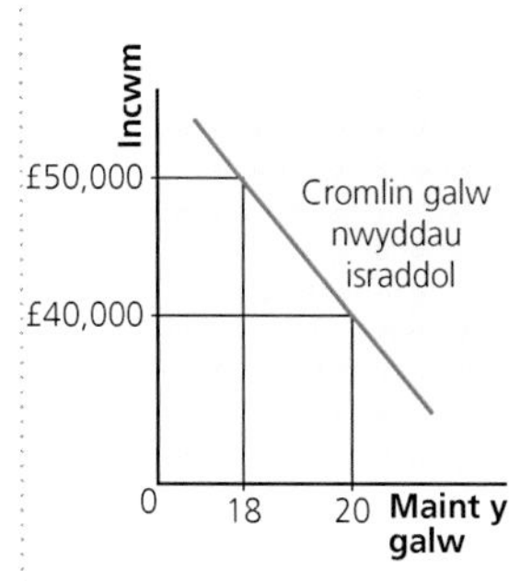

Figure 4 Cyfrifo elastigedd incwm y galw: nwyddau israddol

$$\text{YED} = \frac{\text{newid canrannol ym maint y galw}}{\text{newid canrannol mewn incwm}}$$

$$\text{Newid canrannol ym maint y galw} = \frac{(18 - 20 = -2)}{20} = -0.1 \times 100 = -10\%$$

$$\text{Newid canrannol mewn incwm} = \frac{(£50{,}000 - £40{,}000 = £10{,}000)}{£40{,}000} = 0.25 \times 100 = 25\%$$

$$\text{YED} = \frac{-10\%}{25\%} = -0.4$$

Mae'r ffigur negyddol hwn yn golygu bod y nwydd (jariau o goffi) yn nwydd israddol — nid yw'r galw yn ymateb yn sylweddol i newid mewn incwm. Bydd y galw'n gostwng pan fydd incwm yn codi, gan y bydd yn well gan ddefnyddwyr brynu coffi sydd wedi'i frandio, sy'n cael ei ystyried yn fwy o foethusrwydd.

Gwerthuso effaith elastigedd incwm y galw ar refeniw.

Mae elastigedd incwm y galw yn bwysig gan ei fod yn gallu helpu busnes i benderfynu pa mor sensitif yw ei gynhyrchion o ran galw pan fydd incwm yn newid. Mae busnes fel arfer yn ceisio codi pris y cynnyrch mor uchel a bo modd heb effeithio ar y galw amdano. Gall incwm newid oherwydd:

- **Dirwasgiad.** Yn ystod dirwasgiad, bydd incymau'n lleihau, felly bydd defnyddwyr yn dod yn fwy sensitif o ran pris i gynhyrchion busnes. Ar gyfer nwyddau normal, bydd y galw'n lleihau wrth i incwm leihau. Ar gyfer cynhyrchion israddol, bydd y galw'n debygol o godi wrth i'r galw am gynhyrchion moethus ddisgyn oherwydd y gostyngiad mewn incwm. Ar gyfer angenrheidiau normal, bydd y galw'n gostwng, ond yn arafach na'r gostyngiad mewn incwm.
- **Trethiant.** Os yw cyfradd y **dreth incwm** yn cynyddu, gan ddod yn ganran uwch o incwm, yna bydd y galw yn disgyn ar gyfer nwyddau normal a moethus ac angenrheidiau normal fel y nodir uchod. Bydd y galw am nwyddau israddol yn cynyddu wrth i incwm ostwng, ond yn gyfatebol arafach. Os bydd cyfradd y dreth incwm yn gostwng, y gwrthwyneb fydd yn digwydd i bob math o nwydd.

Os yw cynnyrch yn sensitif i bris, gallai busnes:

- ganolbwyntio'r cynnyrch ar ddefnyddwyr sydd ar incwm uwch, gan eu bod nhw'n llai sensitif i newidiadau. Bydd llai o effaith ar y galw felly.
- torri costau yn hytrach na chodi prisiau. Bydd lleihau costau gweithgynhyrchu'r cynnyrch yn golygu bod y busnes yn gallu gwneud mwy o elw heb newid y galw.
- ceisio gwneud y cynnyrch yn fwy anelastig. Er enghraifft, newid y cynnyrch o fod yn un sy'n cael ei ystyried yn nwydd moethus neu normal i un sy'n cael ei ystyried yn anghenraid normal drwy newid ei nodweddion.

Dirwasgiad Gostyngiad mewn GDP go iawn am ddau gyfnod o dri mis yn olynol. Mae yna ostyngiad mawr mewn gweithgarwch economaidd ar draws yr economi (e.e. mae incwm go iawn yn gostwng fel y mae gwerthiannau manwerthu ac allbwn diwydiannol).

Treth incwm Canran o'i enillion y mae person yn ei thalu i'r Llywodraeth i ariannu gwasanaeth cyhoeddus fel addysg.

Cyngor i'r arholiad

Gwnewch yn siŵr eich bod yn trafod incwm gwario defnyddiwr wrth ateb cwestiwn sy'n gofyn am werthusiad.

Profi gwybodaeth 5

Rhowch enghraifft o pan fydd *Aldi* yn fwyaf tebygol o weld gostyngiad yn y galw am nwyddau yn seiliedig ar incwm defnyddwyr.

Crynodeb

Ar ôl astudio'r pwnc hwn, dylech allu:

- dadansoddi ymchwil meintiol ac ansoddol er mwyn deall sefyllfa'r busnes yn y farchnad
- esbonio, cyfrifo a dehongli elastigedd pris y galw mewn cyd-destun busnes
- esbonio, cyfrifo a dehongli elastigedd incwm y galw mewn cyd-destun busnes
- gwerthuso effaith newidiadau yn y pris a'r incwm ar refeniw busnes

Rhagfynegi Gwerthiant

Rhagfynegiad gwerthiant yw rhagolwg o werthiant yn y dyfodol. Mae'r broses o **ragfynegi gwerthiant** yn bwysig i fusnes gan ei bod yn ei alluogi i gynllunio ar gyfer yr adnoddau sydd eu hangen arno i greu a gwerthu ei gynhyrchion e.e. faint o staff neu allu cynhyrchu sydd ei angen.

Gellir defnyddio rhagfynegiad neu ragolwg o werthiant fel sail ar gyfer rhagfynegiad llif arian a rhagfynegiad elw. Gall y busnes ddefnyddio'r rhain i greu **cyllideb**.
Gellir hefyd defnyddio rhagfynegiad gwerthiant ar gyfer ymchwil i'r farchnad e.e. i amcangyfrif faint o refeniw gwerthiant fydd yn cael ei gynhyrchu ar wahanol brisiau ar gyfer y cynnyrch.

Rhagfynegiad gwerthiant Ceisio rhagfynegi'r refeniw a ddaw o werthiant yn seiliedig ar werthiannau'r gorffennol ac ymchwil i'r farchnad a thueddiadau presennol.

Rhagfynegi gwerthiant Y broses o ragfynegi beth fydd gwerthiant y busnes yn y dyfodol.

Cyllideb Amcangyfrif o incwm a gwariant ar gyfer busnes sy'n cwmpasu cyfnod penodol o amser.

Ffactorau sy'n effeithio ar ragfynegiadau gwerthiant

Mae rhagfynegiadau gwerthiant yn amcangyfrif faint o arian fydd y busnes yn ei wneud o werthiant ei gynnyrch yn y dyfodol. Gall gwahanol ffactorau effeithio ar amcangyfrifon o'r fath:

- **Tueddiadau defnyddwyr.** Gall y galw am y cynnyrch gael ei effeithio gan newid mewn ffasiynau a chwaeth cwsmeriaid. Gall hyn effeithio ar y farchnad yn ei chyfanrwydd (maint y farchnad) neu, yn benodol, ar gynnyrch busnes (cyfran o'r farchnad).
- **Newidynnau economaidd.** Gallai'r galw am allforion, er enghraifft, fod yn sensitif i newidiadau mewn cyfraddau cyfnewid, a gallai gwerthiant gartref gael ei effeithio os bydd yr economi'n mynd i ddirwasgiad.
- **Cystadleuwyr a'u gweithredoedd.** Gall cystadleuydd yn rhyddhau cynnyrch gwell leihau gwerthiant y busnes, er y nodir fel arall yn y rhagfynegiad gwerthiant. Mae'n anodd rhagweld gweithredoedd o'r fath.

Profi gwybodaeth 6

Beth ddylai ddigwydd i ragfynegiad gwerthiant ar gyfer bagiau llaw drud ar adeg o ddirwasgiad economaidd?

Anawsterau wrth ragfynegi gwerthiant

- Nid oes gan fusnes newydd unrhyw wybodaeth hanesyddol am werthiant ei gynnyrch, felly bydd yn anodd iddo ragfynegi yn gywir lefel y galw.
- Os yw'r fachnad yn profi newidiadau technolegol sylweddol, gall rhagfynegiad heddiw fod wedi dyddio mewn blwyddyn neu ddwy.
- Fel sydd wedi bod yn wir am arolygon barn mewn etholiadau yn ddiweddar, mae'n bosibl y bydd ymchwil i'r farchnad yn rhagweld llwyddiant, ond efallai na fydd defnyddwyr yn gwneud yr hyn y dywedson nhw y bydden nhw'n ei wneud, oherwydd eu bod yn rhy ofalus.
- Gall cystadleuwyr newydd ddod i'r farchnad ar ôl i'r rhagfynegiadau gael eu gwneud, gan wyrdroi rhesymeg sylfaenol y rhagfynegiad.

Cyngor i'r arholiad

Defnyddiwch unrhyw ddata a roddir mewn cwestiwn arholiad i ddadansoddi a gwerthuso gallu'r busnes i wneud rhagfynegiad gwerthiant cywir.
Er enghraifft, pwy oedd yn gyfrifol am y rhagfynegiad ac a oedd yna berygl o ragfarn anymwybodol?

Rhagfynegiadau gwerthiant ansoddol

Gall busnes ddefnyddio **data meintiol** i greu rhagfynegiad gwerthiant e.e. defnyddio gwybodaeth rifiadol benodol i amcangyfrif gwerthiant yn y dyfodol. Gall hefyd ddefnyddio **data ansoddol** e.e. defnyddio barn rheolwyr y busnes. Mae technegau rhagfynegi gwerthiant ansoddol yn cynnwys:

- **Greddf** (*instinct/gut feeling*), pan fo rheolwr profiadol yn cael 'rhyw deimlad' neu'n dyfalu y gallai gwerthiant godi, er bod y data meintiol yn dweud fel arall.

- **Trafod syniadau** (*Brainstorming*), lle cynhelir trafodaeth grŵp i gyflwyno syniadau cyn ffurfio rhagfynegiad gwerthiant.
- Y **dull Delphi**, lle bydd grŵp o arbenigwyr ar y cynnyrch yn rhoi eu barn ar amrywiaeth o faterion, gan gynnwys twf yn y farchnad neu dwf gwerthiant. Maen nhw'n rhoi eu barn yn breifat a gall pob parti adolygu ei ragfynegiad yn seiliedig ar safbwyntiau eraill yn y grŵp. Yn y pen draw, mae'r grŵp yn anelu at greu 'rhagfynegiad consenswS', sef un y gall pob arbenigwr gytuno arno.

Manteision rhagfynegi ansoddol

- Mae'n caniatáu i reolwyr/arbenigwyr ddefnyddio eu profiad a'u harbenigedd i wneud rhagfynegiadau na fydd y data hanesyddol yn gallu eu hystyried, fel gwybodaeth am dueddiadau cwsmeriaid neu amgylchedd y farchnad ehangach.
- Gellir ei ddefnyddio lle mae yna ychydig neu ddim data hanesyddol ar gael.
- Gall fod yn fuddiol lle mae'r farchnad yn ddeinamig ac yn newid drwy'r amser e.e. ym maes technoleg.

Anfanteision rhagfynegiad ansoddol

- Mae'n anwybyddu cyfoeth o ddata a all weithredu fel y templed cywir ar gyfer tueddiadau gwerthiant yn y dyfodol.
- Gall barn bersonol y rhai sy'n gwneud y rhagfynegiadau gynnwys rhagfarn e.e. rhagolygon gwerthiant gor-optimistaidd.
- Gall y dull hwn fod yn anghywir ac yn ansicr gan nad oes unrhyw ddata blaenorol i'w seilio arno.

Cyfrifo cyfartaledd symudol tri phwynt

Gall **cyfartaleddau symudol** gael eu defnyddio i gyfrifo tuedd, yn enwedig pan mae yna ddylanwadau tymhorol cryf ar werthiant, neu pan mae yna amrywiadau ar hap o werthiant heb reswm amlwg.

Cyfartaledd symudol Un o gyfres o gyfartaleddau data, lle mae pob cyfartaledd yn cael ei gyfrifo drwy symud y cyfwng yn olynol erbyn yr un cyfnod o amser.

Mae Tabl 2 yn dangos enghraifft o gyfartaledd symudol 3 mis gan ddefnyddio gwerthiant siop fel y data crai. Mae'n ymddangos bod y gwerthiant yn un ar hap gan nad oes unrhyw batrwm amlwg. Bydd cyfartaledd symudol, felly, yn helpu i ddangos tueddiad mewn gwerthiant.

Tabl 2 Enghraifft o gyfartaledd symudol tri mis

	Data crai (gwerthiant misol, £)	Cyfanswm symudol 3 mis (£)	Cyfartaledd symudol 3 mis canolog (£)
Ionawr	48,000		
Chwefror	57,000		52,000
Mawrth	51,000	156,000	49,000
Ebrill	39,000	147,000	47,700
Mai	53,000	143,000	46,300
Mehefin	47,000	139,000	45,300
Gorffennaf	36,000	136,000	44,700
Awst	51,000	134,000	

Mae'r cyfartaledd symudol yn cael ei gyfrifo fel a ganlyn:

- Yn gyntaf, cyfrifwch y cyfansymiau symudol 3 mis:

  Ionawr i Fawrth = 48,000 + 57,000 + 51,000 = 156,000

  Chwefror i Ebrill = 57,000 + 51,000 + 39, 000 = 147,000

  Ac yn y blaen.

- Yn ail, cyfrifwch y cyfartaleddau 3 mis canolog (mae canolog yn golygu pwynt canol data'r tri mis):

  Cyfartaledd symudol 3 mis canolog mis Chwefror = $\frac{156{,}000}{3} = 52{,}000$

  Cyfartaledd symudol 3 mis canolog mis Mawrth = $\frac{147{,}000}{3} = 49{,}000$

  Ac yn y blaen.

Graffiau gwasgariad, cydberthyniad a llinell ffit orau

Gall **cydberthyniad** helpu i esbonio data trwy ddod o hyd i gysylltiad rhwng un set o ddata a'r llall. Mae modd dangos y berthynas rhwng y ddwy set o ddata ar **graff gwasgariad**. Er enghraifft, gall busnes ddefnyddio graff gwasgariad i gymharu ei ddata ar faint gwerthiant a gwariant hysbysebu. Os yw'r graff gwasgariad yn dangos cynnydd ym maint y gwerthiant wrth hysbysebu cynnydd mewn gwariant, byddai hyn yn dangos cydberthyniad positif — os yw'r busnes yn gwario mwy ar hysbysebu, mae maint ei werthiant yn debygol o gynyddu.

Fodd bynnag, os yw'r graff gwasgariad ond yn dangos cydberthyniad llac neu ddi-sail rhwng maint gwerthiant a gwariant hysbysebu, dylid atal gwariant ar hysbysebu gan ei fod yn wastraff arian ar hyn o bryd. Gellir gweld y sefyllfa hon yn Ffigur 5.

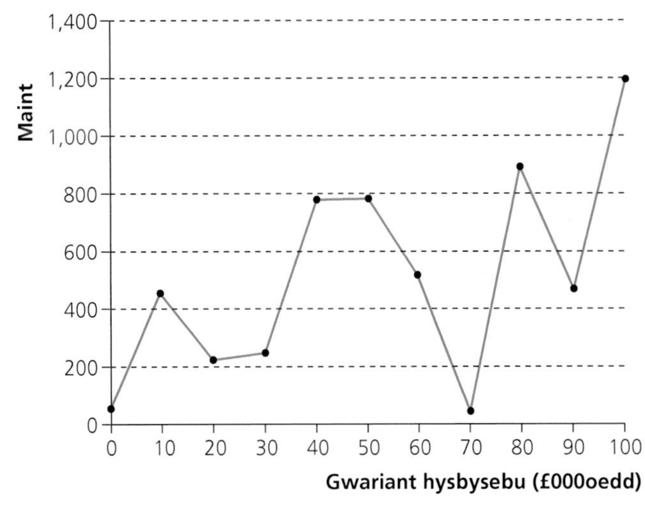

Ffigur 5 Cydberthyniad llac: a yw newidynnau eraill yn bwysig?

I wneud synnwyr o'r data mewn graffiau gwasgariad, gall tuedd **llinell ffit orau** gael ei thynnu, fel yn Ffigur 6. Mae'r graff yn dangos bod bonysau fel canran o gyflog staff yn John Lewis, ar eu gorau yn 2008 pan oedd gan y busnes 215 o siopau. Mae'r ganran hon wedi lleihau wrth i fwy o siopau agor - cydberthyniad negyddol.

Llinell ffit orau Llinell sy'n mynd, yn fras, drwy ganol yr holl bwyntiau gwasgar ar graff gwasgariad. Po agosaf yw'r pwyntiau at y llinell ffit orau, po gryfaf yw'r cydberthyniad.

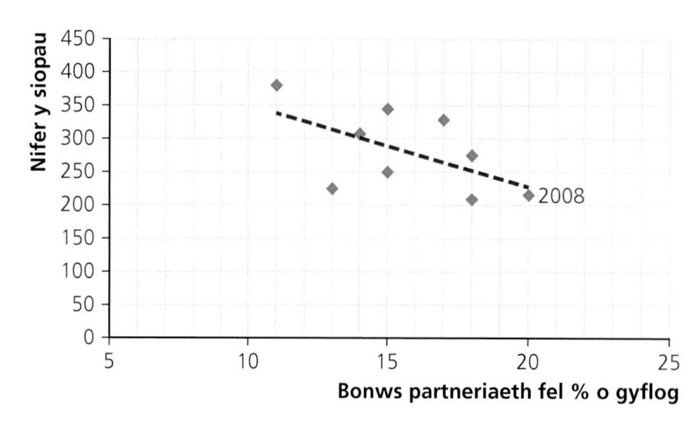

Ffigur 6 Cydberthyniad rhwng nifer y siopau Partneriaeth John Lewis a thaliadau bonws staff, 2007-2015

Ffynhonnell: Cyfrifon blynyddol John Lewis

Pan fydd y pwyntiau data ar graff gwasgariad yn agos at y llinell ffit orau, fel y gwelir yn Ffigur 6, nodir cydberthyniad cryf rhwng y ddwy set o ddata. Mae hyn yn golygu bod y data yn fwy dibynadwy at ddibenion gwneud rhagfynegiadau. Os yw'r pwyntiau data wedi'u gwasgaru ymhell oddi wrth y llinell ffit orau, dim ond cydberthyniad llac y gellir ei ddangos ac efallai na fydd y data yn ddigon dibynadwy i wneud unrhyw ragfynegiadau.

Mae'r cyfartaledd symudol 3 mis yn Nhabl 2 yn dangos y tueddiad sylfaenol ar gyfer gwerthiant. Mae Ffigur 7 yn plotio'r ffigurau gwerthiant ar gyfer pob mis (y 'data crai') a'r gwerthiant cyfartalog 3 mis, sy'n dangos yn glir bod y duedd o ran gwerthiant ar i lawr.

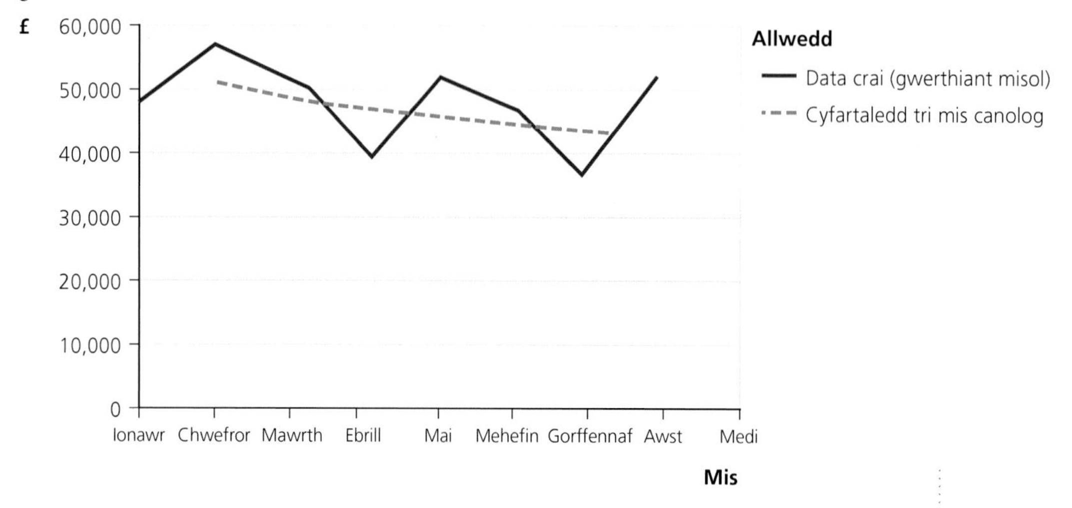

Ffigur 7 Tueddiadau gwerthu gwaelodol a ddatgelwyd gan gyfartaledd symudol 3 mis

Lle mae ffactorau tymhorol yn fater allweddol sy'n effeithio ar werthiannau, dim ond drwy edrych ar gyfartaleddau 12 mis neu bedwar chwarter y gellir nodi tueddiadau, gan ddileu amrywiadau tymhorol. Mae Ffigur 8 yn dangos y cyfartaledd symudol pedwar chwarter ar gyfer yr *iPad*, gyda gwerthiant yn cyrraedd uchafbwynt yn 2013. Ar ôl hynny, mae'r duedd yn mynd tuag i lawr.

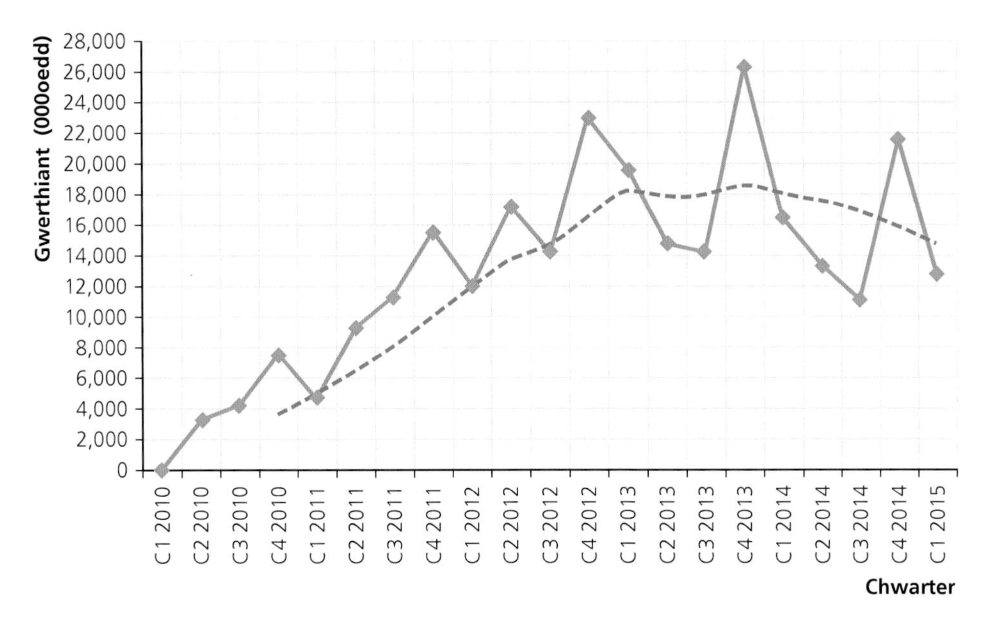

Ffigur 8 Gwerthiant chwarterol rhyngwladol yr *iPad* ers ei lansiad: data crai (llinell solid) a chyfartaledd symudol pedwar chwarter (llinell doredig)

Ffynhonnell: *Apple Inc.* Ffeilio SEC chwarterol

Ystyr **rhagfynegi drwy allosod** yw rhagfynegi'r dyfodol o'r llinell duedd. Mae hyn yn seiliedig ar y ffaith y tybir bod y dyfodol yn debyg i'r gorffennol. Gellir ymestyn y llinell duedd i ragfynegi gwerthiant y dyfodol fel sy'n cael ei ddangos yn yr enghraifft yn Ffigur 9

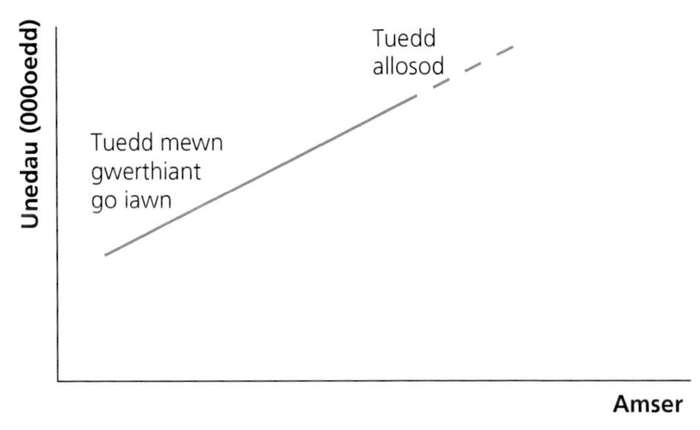

Ffigur 9 Tuedd gwerthu allosod

Dim ond os yw'r busnes yn gweithredu mewn amgylchedd eithaf sefydlog y gall y math hwn o ragfynegiad gwerthiant fod yn gywir. Dylai rheolwyr hefyd ystyried newidiadau posibl yn y farchnad yn y dyfodol i sicrhau bod rhagfynegiad o'r fath yn realistig.

Profi gwybodaeth 7

Rhowch enghraifft o sefyllfa pan mae symud cyfartaleddau yn ffordd ddibynadwy o ragfynegi tueddiadau'r dyfodol.

Dadansoddiad cyfres amser

Mae data cyfres amser yn cynnwys ffigurau sydd wedi'u trefnu, yn seiliedig ar yr amser y gwnaethon nhw ddigwydd. Mae'r broses sydd ynghlwm â **dadansoddiad cyfres amser** yn caniatáu i fusnes nodi'r duedd, sef y cyfeiriad cyffredinol y mae gwerthiant yn symud; unrhyw newidiadau tymhorol, sef yr amrywiadau mewn gwerthiant sy'n digwydd ar adegau rheolaidd o'r flwyddyn; ac unrhyw amrywiadau ar hap, lle mae gwerthiant yn annisgwyl o uchel iawn neu'n isel iawn. Mae Tabl 2 uchod yn enghraifft o ddata a ddefnyddir mewn dadansoddiad cyfres amser.

Dadansoddiad cyfres amser Dull sy'n caniatáu i fusnes ragfynegi lefelau gwerthiant y dyfodol drwy ystyried ffigurau'r gorffennol.

Manteision dadansoddiad cyfres amser

- Gall data hanesyddol fod yn ddibynadwy wrth ragfynegi tueddiadau'r dyfodol, yn enwedig os ydyn nhw'n cael eu casglu dros gyfnod hir o amser.
- Gellir mesur amrywiadau tymhorol a'u cymharu dros amser er mwyn datgelu patrymau sy'n gweithredu fel sail dda ar gyfer rhagfynegiadau yn y dyfodol.

Anfanteision dadansoddiad cyfres amser

- Gall rhagfynegiadau gwerthiant trwy dechnegau meintiol fod yn annibynadwy os oes amrywiadau sylweddol yn y data hanesyddol.
- Mae'r busnes yn rhagdybio y bydd tueddiadau'r gorffennol yn parhau i'r dyfodol, ond mae hyn yn annhebygol mewn amgylchedd busnes cystadleuol.
- Mae'r broses hefyd yn anwybyddu ffactorau ansoddol fel newidiadau mewn chwaeth a ffasiynau, neu ergydion allanol fel dirwasgiad.

Cyngor i'r arholiad

Mae cwestiynau arholiad yn gallu gofyn i chi gyfrifo cyfartaledd symudol 3 neu 4 bwynt yn ogystal â gofyn beth ydy'r llinell ffit orau. Dydy hi ddim yn syniad da, fodd bynnag, i ragweld ymlaen heb ystyried y risgiau o wneud hynny.

Crynodeb

Ar ôl astudio'r pwnc hwn, dylech allu:

- esbonio beth a olygir wrth ragfynegi gwerthiant a'i ddefnyddioldeb, a'r ffactorau a all effeithio ar ragfynegiad gwerthiant
- deall bod rhagfynegi gwerthiant yn cynnwys technegau meintiol ac ansoddol
- cyfrifo cyfartaleddau symudol tri phwynt
- creu graffiau gwasgariad, llinellau ffit gorau a defnyddio allosodiad i ragfynegi datblygiadau'r dyfodol
- dadansoddi gwybodaeth o ddadansoddiad
- deall y gall cydberthyniad fod yn bositif, negatif neu ddim yn bod o gwbl
- esbonio technegau rhagfynegi ansoddol, gan gynnwys greddf, trafod syniadau a'r dull Delphi
- gwerthuso defnyddioldeb dadansoddiad cyfres amser a manteision ac anfanteision rhagfynegi ansoddol

Dadansoddi perfformiad ariannol

Cyllidebau

Mae **cyllideb** yn amcangyfrif o incwm a gwariant ar gyfer busnes sy'n cwmpasu cyfnod penodol o amser. Gall cyllidebau gael eu pennu ar gyfer rheolwyr unigol. Mae'r cyllidebau hyn yn cynrychioli eu targed neu derfyn gwario personol (e.e. 'fy nghyllideb deithio yw £200 y mis' sy'n golygu mai dyna'r uchafswm y gallaf i ei wario heb orfod gofyn am ganiatâd gan uwch reolwr).

Prif bwrpas cyllideb yw helpu'r busnes i gyflawni ei amcanion ariannol, ond gellir ei defnyddio hefyd i helpu i bennu blaenoriaethau, dyrannu adnoddau, ysgogi staff a monitro perfformiad.

Cyllideb Amcangyfrif o incwm a gwariant ar gyfer busnes sy'n cwmpasu cyfnod penodol o amser.

Dadansoddi cyllidebau ac amrywiannau cyllidebol

Unwaith y caiff cyllideb ei gosod, bydd y busnes wedyn yn casglu gwybodaeth am ei refeniw a'i wariant go iawn. Mae'n cymharu'r gwariant a'r refeniw a ragwelwyd â'r perfformiad go iawn, a hynny er mwyn sefydlu unrhyw **amrywiannau (*variances*)**:

- **Amrywiannau ffafriol neu gadarnhaol** yw pan mae'r canlyniadau go iawn yn well na'r hyn a gyllidebwyd. Er enghraifft, mae'r refeniw'n uwch, mae'r costau'n is, neu mae'r elw'n uwch.
- **Amrywiannau negyddol neu anffafriol** yw pan mae'r canlyniadau go iawn yn waeth na'r hyn a gyllidebwyd. Er enghraifft, mae'r refeniw'n is, mae'r costau'n uwch, neu mae'r elw'n is.

Amrywiannau Y gwahaniaeth rhwng y swm a gyllidebwyd a'r swm go iawn ar gyfer pob eitem mewn cyllideb.

Dadansoddiad amrywiant (*variance*) yw'r broses o gymharu'r gyllideb â'r ffigurau go iawn, ac ymchwilio i'r rhesymau pam y mae gwahaniaethau. Mae cymryd camau i fynd i'r afael ag amrywiant yn dibynnu ar lawer o faterion. Beth yw amrywiant cadarnhaol neu anffafriol? Beth yw amrywiant y gellid ei ragfynegi? Pa mor fawr oedd yr amrywiant? A oes unrhyw dueddiadau tymor hir?

Er enghraifft, ni fyddai amrywiant cadarnhaol, fel refeniw uwch, yn cael ei ystyried yn gymaint o broblem â refeniw is. Gyda refeniw is, byddai'r busnes am ystyried beth yw'r achos am hyn er mwyn gweld a oes yna ffordd o gynyddu ei refeniw yn y dyfodol.

Manteision cyllidebau a dadansoddiad amrywiant cyllidebol

- Mae cyllidebau'n caniatáu i fusnes gyfuno setiau amrywiol o ddata ac arbenigedd ei staff er mwyn rhagfynegi'r incwm a'r gwariant sydd eu hangen i gyflawni amcanion y busnes. Gwneir hyn hefyd er mwyn rhagdybio unrhyw risgiau neu heriau posibl sydd o flaen y busnes. Er enghraifft, problemau llif arian y gellid eu datrys drwy gyllid allanol a gynlluniwyd ymhell ymlaen llaw.
- Mae cyllidebau yn caniatáu i reolwyr a rhanddeiliaid fonitro perfformiad y busnes yn erbyn yr hyn a ragwelwyd, gan wneud newidiadau cyn i broblemau ariannol mawr ddigwydd.
- Gall cyllidebau weithredu fel dull o ysgogi staff trwy reoli yn ôl amcanion gyda thâl perfformiad yn gysylltiedig â chyflawniadau e.e. lleihau gwariant o 10% o'r gyllideb.

Profi gwybodaeth 8

Pam y gallai papur newydd *The Independent* fod wedi cael amrywiant cadarnhaol yn y gyllideb pan newidiodd o argraffu papur dyddiol i gynnal gwefan ar-lein?

- Gall rheolwyr ddewis anwybyddu rhannau o'r gyllideb sydd heb lawer o amrywiant, os o gwbl, o'r hyn a gynlluniwyd, a chanolbwyntio eu hymdrechion ar feysydd sydd angen sylw yn hytrach na'r rhai sy'n rhedeg yn ddidrafferth.
- Mae ystyried meysydd o'r gyllideb sydd ag amrywiannau mawr yn golygu bod modd targedu adnoddau ar y meysydd hynny a all rhoi'r ad-daliad mwyaf o ran arbedion cost neu refeniw.

Anfanteision cyllidebau a dadansoddiad amrywiant cyllidebol

- Mae cyllidebau ond cystal â'r data sy'n cael ei ddefnyddio i'w creu. Gall rhagdybiaethau anghywir neu afresymol wneud cyllideb yn afrealistig.
- Gall cyllidebau arwain at anhyblygrwydd wrth wneud penderfyniadau gan eu bod yn cael eu gweld fel delfryd yn hytrach na chynllun yn unig.
- Mae angen i gyllidebau gael eu newid wrth i amgylchiadau newid, a all arwain at fwy o gostau i'r busnes.
- Mae cyllidebu yn broses hirfaith a pho fwyaf y busnes, y mwyaf o amser y bydd yn ei gymryd. Er enghraifft, gall adrannau cyllid dreulio'r rhan fwyaf o'u hamser yn rheoli'r gyllideb.
- Gall cyllidebu arwain at fusnes yn gwneud penderfyniadau tymor byr i gadw o fewn y gyllideb yn hytrach na gwneud y penderfyniad tymor hir cywir sy'n fwy na'r gyllideb.
- Gall gweithwyr gael eu digalonni os bydd y busnes yn eu gwneud yn atebol am amrywiannau yn y gyllideb nad ydyn nhw'n gallu eu rheoli.
- Os nad yw'r gyllideb wedi'i phennu yn gywir yn y lle cyntaf, mae'n bosibl na fydd dadansoddiad amrywiant ond yn dangos amrywiant bach, gan guddio unrhyw arbedion cost neu enillion posibl mewn refeniw.

Mantolen

Mae **mantolen** yn rhoi crynodeb o asedau a rhwymedigaethau (*liabilities*) busnes ar adeg benodol. Mae hyn yn golygu bod y busnes yn gallu gweld beth mae'n berchen arno (ei asedau) a beth sy'n ddyledus ganddo (ei rwymedigaethau) ar adeg benodol, fel arfer ar ddiwedd pob blwyddyn ariannol.

Mae Tabl 3 yn dangos darnau o'r fantolen ar gyfer y manwerthwr *Mulberry*.

Tabl 3 Mantolen *Mulberry plc*: asedau a rhwymedigaethau cyfredol, 2016/17

Asedau cyfredol	£ miliynau
Rhestr eiddo (stoc)	42.82
Masnach a symiau derbyniadwy eraill	14.66
Arian yn y banc	21.09
Cyfanswm asedau cyfredol	78.57
Rhwymedigaethau cyfredol	**£ miliynau**
Masnach a symiau taladwy eraill	28.35
Rhwymedigaethau treth cyfredol	1.25
Cyfanswm rhwymedigaethau cyfredol	29.6
Rhwymedigaethau tymor hir	**£ miliynau**
Benthyciadau	0.0
Ecwiti	**£ miliynau**
Cyfalaf cyfrannau	3.0
Elw cadw	69.96

Cyngor i'r arholiad

Gwnewch yn siŵr eich bod yn gallu dadansoddi'r amrywiannau rhwng cyllideb benodol a ffigurau go iawn. Bydd yr arholwr yn rhoi clod penodol i enghreifftiau wedi'u seilio ar ddetholiad o amrywiannau, fel cynhyrchu o ansawdd gwael sy'n arwain at wastraff deunyddiau.

Cyngor i'r arholiad

Yn y cwestiynau sy'n gofyn am ymateb i ddata, bydd angen i chi allu gwerthuso'r rhesymau dros amrywiannau rhwng cyllideb a'r ffigurau go iawn mewn darn. Bydd angen awgrymu atebion hefyd.

Mae pob trafodyn ariannol a gofnodir ar y fantolen yn arwain at newid cyfartal a chyferbyniol yn yr asedau neu'r rhwymedigaethau. Mae hyn yn cael ei alw'n system gyfrifyddu 'mynediad dwbl'.

Mae cydrannau mantolen yn cynnwys:

- **Asedau cyfredol** — arian parod neu asedau eraill y gellir eu trosi'n arian parod o fewn 12 mis i'r fantolen, e.e. stoc, dyledwyr (arian sy'n ddyledus i'r busnes) ac arian parod yn y banc.
- **Asedau tymor hir** (*non-current assets*) — asedau na ellir fel arfer eu trosi'n arian parod o fewn 12 mis i'r fantolen e.e. ewyllys da, eiddo ac offer. Mae item, sy'n cael ei alw'n ddibrisiant, yn cael ei glustnodi ar y fantolen ar gyfer eiddo, offer a chyfarpar sy'n treulio dros gyfnod o amser.
- **Rhwymedigaethau cyfredol** — y symiau y mae busnes i fod i dalu o fewn 12 mis i'r fantolen, e.e. credewyr (arian sy'n ddyledus i gyflenwyr) ac unrhyw daliadau eraill a thaliadau treth sydd angen eu talu.
- **Rhwymedigaethau tymor hir** (*Non-current liabilities*) — rhwymedigaethau ariannol tymor hir sy'n ddyledus yn y tymor hwy, fel arfer mwy na 12 mis ar ôl y fantolen e.e. unrhyw fenthyciadau tymor hir fel benthyciad banc neu forgais.
- **Ecwiti** (Cronfa'r cyfranddalwyr) — unrhyw arian sy'n cael ei gyfrannu gan berchnogion neu ddeiliad stoc ynghyd ag unrhyw elw cadw. Elw cadw yw'r elw net na chafodd ei roi i'r cyfranddalwyr e.e. yn 2016, yr elw cadw gan *Apple* oedd $102.02 biliwn.

Asedau cyfredol Arian parod neu asedau eraill y gellir eu trosi'n arian parod o fewn 12 mis.

Rhwymedigaethau cyfredol Y symiau sy'n ddyledus i'w talu o fewn 12 mis.

Cyngor i'r arholiad

Cofiwch fod y cymarebau cyfredol a phrawf asid yn ffyrdd o fesur yr un peth — hylifedd. Os yw hylifedd cwmni yn rhy wan, efallai na fydd yn gallu talu ei filiau, ac felly efallai y bydd y busnes yn methu.

Cyfalaf gweithio

Mae angen arian parod, neu **gyfalaf gweithio**, ar fusnes i oroesi o ddydd i ddydd ac er mwyn talu am bethau fel cyflogau, cyflenwadau, trethi, asedau tymor hir a chostau eraill. Mae rheoli cyfalaf gweithio yn effeithiol yn bwysig i lwyddiant y busnes.

Cyfalaf gweithio Yr arian sydd ei angen er mwyn talu am weithrediad y busnes o ddydd i ddydd.

Mae cyfalaf gweithio, neu gostau o ddydd i ddydd, yn cael ei gyfrifo drwy ddefnyddio'r fformiwla ganlynol:

cyfalaf gweithio = asedau cyfredol – rhwymedigaethau cyfredol

Wrth edrych ar fantolen y manwerthwr dillad *Mulberry* ar gyfer y cyfnod 2016/17 (Tabl 3), gallwn gyfrifo cyfalaf gweithio *Mulberry* fel a ganlyn:

cyfalaf gweithio = £78.57 – £29.6 miliwn

= £48.97 miliwn

Roedd gan *Mulberry*, felly, £48.97 miliwn ar gael yn ychwanegol at dalu ei rwymedigaethau tymor hir. Mae'n ymddangos felly fod gan y cwmni ddigon o arian. Fodd bynnag, mae maint y cyfalaf gweithio sydd ei angen ar fusnes penodol yn dibynnu ar natur y cynhyrchion a gynhyrchir ganddo a'i uchelgeisiau o ran buddsoddi yn y dyfodol neu lansio cynnyrch.

Bydd angen i fusnes hefyd ystyried ei **gylch cyfalaf gweithio**, neu faint o amser y bydd yn ei gymryd i'r busnes droi ei gyfalaf gweithio yn refeniw.

Cylch cyfalaf gweithio Y cyfnod o amser rhwng y pwynt pryd y caiff arian ei wario am y tro cyntaf ar gynhyrchu cynnyrch a phryd y cesglir arian parod gan y cwsmer.

Dangosir enghraifft o'r cylch cyfalaf gweithio yn Ffigur 10.

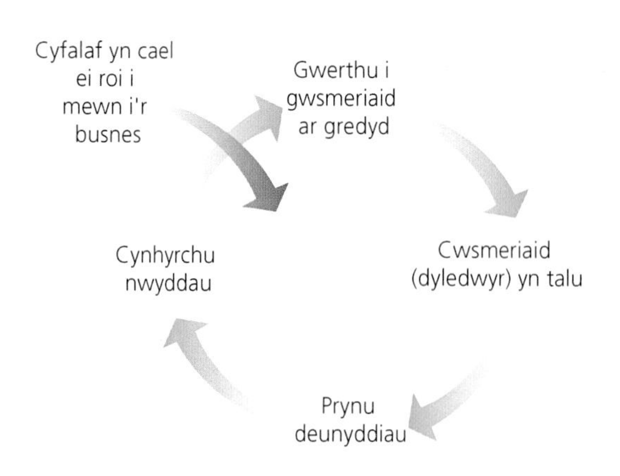

Ffigur 10 Enghraifft o'r cylch cyfalaf gweithio

Profi gwybodaeth 9

Enwch fath o fusnes sydd â chylch cyfalaf gweithio byr.

Cyfalaf a ddefnyddiwyd

Mae **cyfalaf a ddefnyddiwyd** yn mesur cyfanswm yr adnoddau sydd ar gael i'r busnes ar hyn o bryd. Mae'n cael ei gyfrifo gan ddefnyddio ffigurau ar y fantolen fel a ganlyn:

Cyfalaf a ddefnyddiwyd Cyfalaf cyfranddaliadau, elw cadw, a benthyciadau tymor hir busnes.

cyfalaf a ddefnyddiwyd = cyfalaf cyfranddaliadau + cronfa cyfranddalwyr + benthyciadau tymor hir

Er enghraifft, wrth edrych ar fantolen *Mulberry* yn Nhabl 3, nid oedd gan y cwmni unrhyw fenthyciadau tymor hir, ond roedd ganddo werth £3 miliwn o gyfalaf cyfranddaliadau a £69.96 miliwn o elw cadw. Ei gyfalaf a ddefnyddiwyd ar gyfer y cyfnod 2016/17 oedd:

cyfalaf a ddefnyddiwyd = £3 miliwn + £69.96 miliwn + £0 miliwn

= £72.96 miliwn

Yn gyffredinol, po uchaf yw'r ffigur, y mwyaf iach yw sefyllfa'r busnes. Yn achos *Mulberry*, roedd ganddo £72.96 miliwn ar y fantolen y gellid ei fuddsoddi mewn twf neu ei ddefnyddio i dalu benthyciadau tymor byr.

Dibrisiant

Ar y fantolen, mae cost wreiddiol ased yn cael ei gostwng gan faint y **dibrisiant** hyd nes yr ystyrir nad yw'r ased yn ddefnyddiol bellach. Mae dibrisiant yn cael ei gyfrifo drwy ddefnyddio'r dull llinell syth, lle caiff yr un swm ei dynnu bob blwyddyn gan ddefnyddio'r fformiwla ganlynol:

Dibrisiant Swm sy'n cael ei dynnu o gost wreiddiol ased er mwyn cymryd i ystyriaeth y traul o'i ddefnyddio dros amser gan ddangos gwir werth yr ased.

$$\textbf{Dibrisiant llinell syth} = \frac{\text{cost wreiddiol yr ased sefydlog}}{\text{bywyd defnyddiol yr ased}}$$

Er enghraifft, os yw *Mulberry* yn prynu peiriant pacio sydd â gwerth 10 mlynedd o fywyd defnyddiol am £10,000, y dibrisiant llinell syth blynyddol fyddai:

$$\text{disbrisiant llinell syth} = \frac{£10{,}000}{10} = £1{,}000 \text{ y flwyddyn}$$

Mae dibrisiant yn ymddangos yn y cyfrif elw a cholled fel traul ac mae'n lleihau lefel yr elw, sy'n ddefnyddiol pan fydd yn rhaid i fusnes dalu treth gorfforaeth. Ar y fantolen, mae'n caniatáu adlewyrchiad tecach o beth yn union yw gwerth yr asedau i fusnes e.e. pe bai'n eu gwerthu.

Dadansoddi'r fantolen

Yr allwedd i asesu'r fantolen yw ystyried a oes gan y busnes ddigon o asedau cyfredol i dalu ei rwymedigaethau presennol. Mewn geiriau eraill, a oes ganddo ddigon o arian i dalu ei filiau. Mae hyn yn golygu asesu a yw **hylifedd** y busnes yn foddhaol.

O'r fantolen, bydd pob rhanddeiliad yn gallu gweld **asedau cyfredol** y busnes — y rhai sy'n hawdd eu trosi i arian parod o fewn 12 mis, fel arian, stoc ac unrhyw arian sy'n ddyledus gan gwsmeriaid ar gyfer cynhyrchion (symiau derbyniadwy) — a pha **asedau tymor hir** sydd gan y busnes, fel eiddo neu beiriannau.

Bydd y fantolen hefyd yn dangos unrhyw **gyfalaf** sydd gan y busnes. Mae hyn yn cynnwys cyfalaf cyfranddaliadau a chyfalaf benthyg o'r banc ac elw cadw (sydd hefyd yn cael eu galw'n gronfeydd wrth gefn). Mae cyfalaf cyfranddaliadau a chronfeydd wrth gefn yn ddyledus i gyfranddalwyr, ond nid oes angen ad-daliad arnyn nhw felly maen nhw'n cael eu trin yn wahanol. O'u hychwanegu at ei gilydd, maen nhw'n cael eu galw'n **gyfanswm ecwiti**.

Cymarebau ariannol

Adenillion ar y cyfalaf a ddefnyddiwyd

Mae **adenillion ar y cyfalaf a ddefnyddiwyd (ROCE)** yn gymhareb ariannol sy'n dweud wrthym pa enillion (elw) y mae'r busnes wedi'i wneud o'r adnoddau sydd ganddyn nhw ac o'r buddsoddiad maen nhw wedi'i wneud. Mae ROCE yn cael ei gyfrifo drwy rannu **elw gweithredu** busnes gan ei **gyfalaf a ddefnyddiwyd**:

$$\textbf{ROCE} = \frac{\text{elw gweithredu}}{\text{cyfalaf a ddefnyddiwyd}} \times 100$$

Mae ROCE yn ffordd dda o fesur cyfanswm yr adnoddau sydd ar gael i fusnes — po uchaf y ffigur canrannol, y gorau oll yw'r adnoddau. I fod o werth, fodd bynnag, mae angen ei gymharu â blynyddoedd blaenorol er mwyn gweld a oes yna duedd yn codi neu'n gostwng. Gellir hefyd gymharu ROCE â'r cyfraddau llog sydd ar gael ar gyfer arbed arian yn lle hynny. Bydd hyn yn dangos a yw'r risg yn werth yr enillion.

Yn 2016, elw gweithredu *Tesco* oedd £1,046 miliwn a'i gyfalaf a ddefnyddiwyd oedd £18,034 miliwn. Mae ei ROCE yn cael ei gyfrifo fel hyn:

$$\text{ROCE} = \frac{£1{,}046}{£18{,}034} \times 100$$
$$= 5.8\%$$

Mae hon yn ganran isel, er bod y lefel hon o enillion yn llawer uwch na chyfraddau llog banciau. Ond, a yw'n elw isel i fuddsoddwyr? Mae cymharu archfarchnadoedd yn gallu bod o help. Wrth edrych ar Dabl 4, gallwn weld bod ROCE *Tesco* wedi dioddef yn sylweddol dros y blynyddoedd diwethaf. Tan 2015, roedd y duedd ar i lawr, yn rhannol oherwydd effaith archfarchnadoedd disgownt fel *Aldi*. Fodd bynnag, mae 2016 yn dangos gwellhad bychan. Ond, os cymharwn ni ROCE *Tesco* ag un *Sainsbury's*, gallwn weld bod *Sainbury's* yn well fuddsoddiad, o bosibl.

Tabl 4 ROCE: Archfarchnadoedd *Tesco* a *Sainsbury's*

	2012	2013	2014	2015	2016
ROCE ar gyfer *Tesco*	14.7%	14.5%	13.6%	4%	5.8%
ROCE ar gyfer *Sainsbury's*	11.1%	11.2%	10.4%	9.7%	8.8%

Ffynonellau: www.tescoplc.com a www.sainsburys.co.uk

Hylifedd Mesur i ba raddau y mae gan fusnes arian i fodloni ei rwymedigaethau uniongyrchol a thymor byr, neu asedau y gellir eu trosi'n gyflym yn arian parod er mwyn gwneud hyn.

Cyngor i'r arholiad

Gallai darnau o fantolen fod yn sail ar gyfer cwestiwn arholiad, felly mae'n bwysig eich bod yn deall beth yw ystyr y ffigurau a phwy fydd â diddordeb ynddyn nhw. Wrth werthuso perfformiad, cofiwch drafod cyfyngiadau'r ffigurau a ddefnyddiwyd.

Adenillion ar y cyfalaf a ddefnyddiwyd (ROCE) Cymhareb ariannol sy'n mesur pa enillion (elw) y mae'r busnes wedi'u gwneud ar yr adnoddau sydd ar gael iddo.

Elw gweithredu Faint o elw y mae'r busnes wedi'i wneud o'i weithgareddau masnachu cyn i unrhyw ystyriaeth gael ei rhoi i'r ffordd y caiff y busnes ei ariannu.

Cyfalaf a ddefnyddiwyd = cronfeydd cyfranddalwyr = rhwymedigaethau tymor hir. Swm y cyfalaf cyfranddaliadau a'r ddyled y mae cwmni'n ei ddal ac yn ei ddefnyddio. Cronfeydd cyfranddalwyr = cyfalaf cyfranddaliadau = cronfeydd wrth gefn

Er mwyn **gwella ei ROCE**, gall busnes gynyddu ei elw gweithredu heb gynyddu ei gyfalaf, neu gynnal ei elw gweithredol a lleihau gwerth ei gyfalaf a ddefnyddiwyd.

Cymhareb gyfredol

Mae'r **gymhareb gyfredol** yn dangos gallu'r busnes i dalu'r biliau sy'n ddyledus o fewn y 12 mis nesaf. Mae cymhareb sydd rhwng 1.5 a 2.0 yn cael ei hystyried yn ddymunol. Os yw'r gymhareb yn llai nag 1.5, efallai y bydd y busnes yn cael trafferth i fodloni ei ddyledion yn gyflym.

$$\textbf{Cymhareb gyfredol} = \frac{\text{asedau cyfredol}}{\text{rhwymedigaethau cyfredol}}$$

Er enghraifft, os oes gan fusnes asedau cyfredol gwerth £1,000 a rhwymedigaethau cyfredol gwerth £2,000, y gymhareb gyfredol fydd:

$$\text{cymhareb gyfredol} = \frac{£1,000}{£2,000}$$

$$\text{cymhareb gyfredol} = 0.5$$

Mae'r ffigur hwn yn golygu bod gan y busnes £50 mewn asedau tymor byr ar gyfer pob £100 o ddyled tymor byr. Gan fod y gymhareb yn llai nag 1, mae hyn yn awgrymu na fydd y busnes yn gallu talu ei ddyledion tymor byr, yn enwedig os bydd hyn yn parhau am unrhyw gyfnod o amser.

Cymhareb prawf asid

Mae'r **gymhareb prawf asid** yn brawf mwy llym o alluoedd busnes i gwrdd â'i ddyledion. Defnyddir yr un fformiwla â'r un ar gyfer y gymhareb gyfredol, ond nid yw'n cynnwys gwerth stoc. Mae hyn oherwydd bod stoc fel bwyd yn mynd yn ddrwg neu'n mynd yn hen, allan o ffasiwn neu nad oes angen y cynnyrch bellach. Yn syml, gall y cwmni gael ei hun mewn sefyllfa lle mae ganddo fwy o stoc na all ei werthu.

$$\textbf{cymhareb prawf asid} = \frac{\text{asedau cyfredol (ac eithrio stoc)}}{\text{rhwymedigaethau cyfredol}}$$

Mae gwerth o 1 fel arfer yn cael ei dderbyn fel normal. Mae unrhyw ffigur sy'n llai nag 1 yn awgrymu y gall fod problemau i'r busnes, gan ei bod yn bosibl na fydd yn gallu talu ei ddyledion. Fodd bynnag, os yw'r busnes yn masnachu mewn stoc sydd â throsiant cyflym iawn, fel archfarchnadoedd, yna mae llai o werth i'r gymhareb prawf asid fel mesuriad o hylifedd.

Er enghraifft, efallai fod busnes ag asedau cyfredol gwerth £1,500, stoc gwerth £500 a rhwymedigaethau cyfredol gwerth £500, felly byddai'r gymhareb prawf asid yn cael ei chyfrifo fel hyn:

$$\text{cymhareb prawf asid} = \frac{£1,500 - £500}{£500}$$

$$\text{cymhareb prawf asid} = 2$$

Cymhareb geriad

Mae'r **gymhareb geriad** (*Gearing ratio*) yn mesur cyfran yr asedau a fuddsoddir mewn busnes sy'n cael ei ariannu drwy fenthyca tymor hir. Mae'n ffordd o fesur sefydlogrwydd ariannol tymor hir y busnes.

$$\textbf{cymhareb geriad} = \frac{\textbf{rhwymedigaethau tymor hir}}{\begin{array}{c}\text{cyfalaf a ddefnyddiwyd}\\ \text{(Cronfa Cyfranddalwyr + Rhwymedigaethau tymor hir)}\end{array}} \times 100$$

Profi gwybodaeth 10

Rhowch un enghraifft o fath o fusnes a fydd â throsiant cymharol araf o ran stoc.

Cyngor i'r arholiad

Er mwyn sgorio marciau uchel, rhaid i chi fod yn gywir yn eich cyfrifiadau cymarebau.

Wrth werthuso cymarebau, rhaid i chi edrych yn ofalus ar farchnad y busnes er mwyn penderfynu pa gymhareb yw'r un fwyaf berthnasol ar gyfer asesu perfformiad busnes.

Rhwymedigaethau tymor hir Dyledion sy'n daladwy gan fusnes ar ôl 12 mis, fel morgais neu fenthyciad banc.

Po uchaf yw lefel benthyca'r busnes, y mwyaf y risgiau mae'n ei gymryd. Er enghraifft, gallai cyfraddau llog ar fenthyciad godi'n sylweddol ac achosi i'r busnes fethu os yw ei lif arian yn rhy wan i dalu'r taliadau llog hynny. Fodd bynnag, os oes gan y busnes lif arian da, efallai na fydd **geriad** yn risg mor fawr a gallai hefyd fod o fudd i'r busnes yn y tymor byr. Er enghraifft, bydd cael benthyciad yn lleihau swm y cyllid sydd ei angen gan gyfranddalwyr, ac os yw cyfraddau llog yn isel a'r llif arian yn dda, gallai'r busnes leihau ei gostau gan y gallai'r llog ar y benthyciad fod yn rhatach na thalu difidendendau i gyfranddalwyr.

Geriad Cyfran y cyllid sy'n cael ei rhoi gan ddyledion mewn perthynas â'r holl gyllid tymor hir o fewn y busnes (y cyfalaf a ddefnyddiwyd).

Gellir dehongli'r cymarebau geriad fel hyn:

- Os yw'r gymhareb geriad yn fwy na 50%, dywedir bod y cwmni â 'geriad uchel'.
- Mae busnes sydd â geriad o lai na 25% yn cael ei ddisgrifio'n un sydd â 'geriad isel'.
- Mae rhywbeth rhwng 25% a 50% yn cael ei ystyried fel normal ar gyfer busnes sydd wedi hen ennill ei blwyf ac sy'n fodlon ariannu ei weithgareddau gan ddefnyddio dyled.

Gellir **lleihau'r geriad** drwy wella elw, ad-dalu benthyciadau tymor hir, cadw elw yn hytrach na thalu difidend, cynyddu nifer y cyfranddaliadau neu drosi benthyciadau yn rhyw fath o gyfalaf cyfranddaliadau.

Gellir **cynyddu geriad** drwy ganolbwyntio ar dwf, trosi dyledion tymor byr yn fenthyciadau tymor hir, prynu cyfranddaliadau'n ôl neu dalu mwy o ddifidend o'r enillion sydd wedi eu cadw.

Profi gwybodaeth 11

A fydd gostyngiad mewn cyfraddau llog yn fantais neu'n broblem i fusnes â geriad uchel? Esboniwch eich ateb yn gryno.

Dehongli cymarebau i wneud penderfyniadau busnes

Mae cymarebau yn helpu busnes i benderfynu a yw'n gallu fforddio gwneud penderfyniadau amrywiol, tra bo'r broses o werthuso neu benderfynu ar fuddsoddiadau yn ei helpu i benderfynu a yw'r penderfyniad a ystyrir yn werth ei wneud yn y lle cyntaf. Gellir ariannu camau gweithredu mewn amryw o ffyrdd, gan gynnwys defnyddio cyfalaf gweithio fel arian parod, er y bydd hyn yn gwaethygu hylifedd y busnes; benthyca o fanc neu ffynhonnell arall, er bod hyn yn cynyddu'r gymhareb geriad; neu werthu asedau, a fydd yn dda ar gyfer y cymarebau hylifedd a geriad.

Dadansoddi'r cyfrif masnachu, elw a cholled a'r fantolen er mwyn asesu perfformiad ariannol

Mae'r **cyfrif masnachu, elw a cholled** yn gallu bod o help i asesu pa mor gystadleuol yw busnes fel y mae:

- Mae'n caniatáu i randdeiliaid/perchnogion weld sut y mae'r busnes wedi perfformio ac a yw wedi gwneud elw derbyniol (enillion).
- Mae'n helpu i nodi a yw'r elw a enillir gan y busnes yn gynaliadwy ('ansawdd elw').
- Mae'n ei gwneud yn bosibl cymharu â busnesau tebyg eraill (e.e. cystadleuwyr) a'r diwydiant cyfan.
- Mae'n caniatáu i ddarparwyr cyllid weld a yw'r busnes yn gallu cynhyrchu digon o elw i barhau'n hyfyw (*viable*).
- Mae'n caniatáu i gyfarwyddwyr cwmni fodloni eu gofynion cyfreithiol i gyflwyno adroddiad ar gofnod ariannol y busnes.
- Mae'n galluogi staff i gael syniad o werth unrhyw dâl sy'n gysylltiedig ag elw.

Mae'r **fantolen** yn bwysig i:

- **Bancwyr**, gan eu bod nhw'n gallu edrych ar fenthyciadau tymor hir y busnes wrth ystyried unrhyw opsiynau cyllid pellach.
- **Cyflenwyr**, gan eu bod nhw'n gallu edrych ar unrhyw arian sy'n ddyledus gan y busnes a holi pam y gallai hyn fod os oes gan y busnes ddigon o arian parod a stoc.
- **Buddsoddwyr**, gan eu bod nhw'n gallu ystyried a oes gan y busnes ddigon o arian parod (asedau cyfredol), ac yn arbennig y tueddiad am arian parod dros amser. Bydd hyn yn helpu i inswleiddio'r busnes o gyfnod anodd yn y dyfodol a sicrhau bod ei rwymedigaethau'n parhau o fewn ffiniau rhesymol.
- **Staff**, oherwydd efallai y byddan nhw am edrych ar elw cronedig y busnes a sut y mae hyn wedi'i ddosbarthu o ran unrhyw gynllun rhannu elw.

Ystyried cyfrifon busnes mewn perthynas â blynyddoedd blaenorol a busnesau eraill

Mae cyfrifon busnes, ar wahân, yn rhoi gwybodaeth sy'n galluogi busnes i adolygu ac asesu ei berfformiad presennol yn erbyn ei ragfynegiadau a'i amcanion. Fodd bynnag, gall cyfrifon fod yn llawer mwy defnyddiol i fusnes a'i randdeiliaid pan maen nhw'n olrhain perfformiad dros nifer o flynyddoedd. Gall hyn gynnwys:

- Monitro'r fantolen a'r cyfrif elw a cholled i sicrhau bod y busnes yn parhau i fod yn ariannol iach ac yn gallu cyflawni ei amcanion presennol a rhai'r dyfodol.
- Chwilio am dueddiadau dros amser, fel lefel y ddyled neu lefel yr arian sydd ar gael i fusnes. Er enghraifft, gall gwybodaeth o dair blynedd neu fwy roi syniad da o dueddiadau penodol. Gall rheolwyr ddefnyddio'r rhain i asesu unrhyw gamau y mae angen eu cymryd ar hyn o bryd ac yn y dyfodol i wella perfformiad busnes.
- Ystyried gwybodaeth o sawl blwyddyn er mwyn nodi problemau gyda'r cyfrifon, fel anghysondebau yn y cymarebau, gan ganiatáu i'r busnes ddarganfod beth yw'r broblem benodol.
- Olrhain perfformiad fel y gellir gwneud penderfyniadau strategol, gan ganiatáu i fusnes ddelio â phroblemau yn y dyfodol neu helpu i dyfu'r busnes.

Gwerthuso sefyllfa ariannol busnes

Ceir amryw o broblemau wrth ddefnyddio cyfrifon i fesur perfformiad busnes:

- Gellir prisio a chofnodi asedau a rhwymedigaethau mewn nifer o ffyrdd ar fantolen. Mae hyn yn golygu nid yn unig bod un ffordd yn gallu rhoi rhagfynegiad mwy ffafriol i fusnes nag un arall ('rhoi golwg dda ar bethau'), ond hefyd fod dulliau yn gallu newid dros amser — yng nghyfrifon y busnes a'r rhai hynny y mae'r busnes yn cystadlu yn eu herbyn. Mae hyn yn gwneud chwilio am dueddiadau a phenderfynu a yw busnes yn perfformio'n dda yn llawer mwy anodd.
- Mae cyfrifon ond yn gallu rhoi ffigurau. Nid ydyn nhw'n rhoi unrhyw esboniad pam y mae'r ffigurau'n well neu'n waeth. Dim ond golwg sydyn o'r gorffennol a geir ganddyn nhw hefyd. Nid yw hyn yn dangos pa mor berthnasol yw'r ffigurau o ran perfformiad busnes yn y dyfodol.
- Ar gyfer busnesau neu fusnesau newydd sy'n ehangu i farchnadoedd neu gynnyrch newydd, ychydig iawn o gymorth mae cyfrifon blaenorol yn ei gynnig i ragfynegi perfformiad yn y dyfodol.

Cyngor i'r arholiad

Er mwyn ennill marciau uchel wrth ystyried sut y mae busnes yn perfformio, cofiwch ystyried y ffactorau ariannol, anariannol ac allanol eraill. Gall busnes edrych fel ei fod yn gwneud yn dda, ond o'i gymharu â'r cyd-destun ehangach, efallai nad yw hyn yn wir.

Ffactorau sy'n gallu effeithio ar gyfrifon busnes

- **Rhoi golwg dda ar bethau** (*Window dressing*), sef cyflwyno cyfrifon busnes mewn ffordd sy'n gwella ei sefyllfa ariannol. Gellir gwneud hyn er mwyn cuddio problem hylifedd rhag buddsoddwyr neu i gynyddu elw er mwyn cael gwell siawns o gael cyllid.
- **Newidiadau yn y galw**, a all gael effaith gadarnhaol neu negyddol ar y cyfrifon. Er enghraifft, os bydd cynnyrch, yn sydyn, yn dod yn llwyddiannus, gall cyfrifon fethu ag adrodd am y rhwymedigaethau.
- **Chwyddiant,** sy'n gynnydd cyson yng nghost byw, a gall lleihau perfformiad ariannol y busnes yn sylweddol. Er enghraifft, gall elw cadw leihau ei bŵer prynu oherwydd cynnydd sydyn mewn chwyddiant a/neu gost deunyddiau crai.

Profi gwybodaeth 12

Ar ôl i'r gwaith o gynhyrchu'r *Land Rover Defender* ddod i ben yn ddiweddar, pam y gallai banciau a buddsoddwyr eraill fod yn fodlon buddsoddi arian mewn menter i adeiladu mathau newydd o gerbydau a all gael eu gyrru oddi ar y ffordd, er nad oes yna gyfrifon busnes? Esboniwch eich ateb yn gryno.

Crynodeb

Ar ôl astudio'r pwnc hwn, dylech allu:

- esbonio ystyr amrywiant cyllidebol, prif gydrannau mantolen, cyfalaf gweithio, cyfalaf a ddefnyddiwyd a dibrisiant
- cyfrifo amrywiannau cyllidebol, cyfalaf gweithio, cyfalaf a ddefnyddiwyd, dibrisiant, enillion ar gyfalaf a ddefnyddiwyd, cymhareb gyfredol, cymhareb prawf asid a chymhareb geriad
- dehongli mantolen, enillion ar gyfalaf a ddefnyddiwyd, cymhareb gyfredol, cymhareb prawf asid a chymhareb geriad
- dadansoddi cyllidebau ac amrywiannau cyllidebol, mantolen, cyfrifon masnachu ac elw a cholled
- ystyried cyfrifon busnes mewn perthynas â blynyddoedd blaenorol a busnesau eraill
- gwerthuso sefyllfa ariannol busnes
- deall y gall 'rhoi golwg dda ar bethau' effeithio ar gyfrifon a ffactorau eraill fel newidiadau yn y galw a chwyddiant

Dadansoddi perfformiad nad yw'n ariannol

Nid yw defnyddio mesurau ariannol yn unig yn asesu'n gywir sut y mae busnes yn perfformio. Mae dadansoddi perfformiad busnes sydd ddim yn ddibynnol ar ystyriaethau ariannol yn caniatáu llawer mwy o ddealltwriaeth o'r perfformiad a'r tueddiadau sy'n debygol o effeithio ar ei lwyddiant.

Mesurau sydd ddim yn ariannol

Arolygon o agweddau cwsmeriaid

Gellir cynnal **arolygon o agweddau cwsmeriaid** naill ai drwy ddulliau meintiol neu ansoddol er mwyn asesu barn cwsmeriaid ar amrywiaeth o faterion, fel ansawdd cynnyrch neu wasanaeth cwsmeriaid:

- Bwriad ymchwil ansoddol, fel grwpiau ffocws, yw casglu barn, credoau a bwriadau'r rhai sy'n cael eu harolygu e.e. drwy ofyn pam y penderfynodd cwsmer penodol brynu llai neu fwy o gynnyrch.
- Mae ymchwil meintiol yn ystyried grwpiau mwy o bobl ac yn gofyn cwestiynau fel pa mor aml y prynwyd cynnyrch ganddyn nhw neu pa mor fodlon oedden nhw gyda dull y cynrychiolydd gwerthiant o werthu cynnyrch. Gellir gwneud hyn drwy arolygon ar-lein neu drwy'r post.

Bwriad arolygon o agweddau cwsmeriaid yw galluogi'r busnes i ystyried ei gryfderau a'i wendidau ac ystyried ffyrdd o fodloni disgwyliadau ei gwsmeriaid yn well.

Arolygon o agweddau gweithwyr

Gall **arolygon o agweddau gweithwyr** gael eu cynnal yn yr un modd ag arolygon cwsmeriaid, er efallai mai asesu gwahanol faterion yw nod y busnes. Gall yr arolygon hyn ystyried boddhad staff ar amrywiaeth o faterion, fel eu rôl, eu cyflog a'u rheolwr ac uwch reolwyr. Gellir eu defnyddio hefyd i asesu eu hanghenion hyfforddi a datblygu, yr amgylchedd y maen nhw'n gweithio ynddo, a'u rhagfynegiadau gyrfa canfyddedig.

Gall arolygon o agweddau gweithwyr helpu busnes i:

- asesu effeithiolrwydd ei bolisïau a'i arferion
- nodi morâl isel a sut y gellid mynd i'r afael â hyn
- hwyluso newid e.e. gostwng cyflog neu godi targedau

Cyfran o'r farchnad

Cyfran o'r farchnad yw'r gyfran o gyfanswm y farchnad sy'n eiddo i fusnes neu gynnyrch e.e. roedd gan *Samsung* 34% o'r farchnad ffonau clyfar yn y DU yn 2017. Gall busnes ddefnyddio model sy'n seiliedig ar gyfran o'r farchnad, fel y *Boston Matrix* er mwyn asesu beth allai fod y strategaeth orau ar gyfer ei gynnyrch — fel buddsoddi mewn mwy o farchnata neu greu strategaeth ymestyn. Yna, mae modd monitro cyfran o'r farchnad er mwyn asesu llwyddiant y strategaeth.

Cynhyrchiant

Mae **cynhyrchiant llafur** yn mesur allbwn pob gweithiwr dros gyfnod o amser. Mae cynhyrchiant yn effeithio ar gostau'r busnes — os yw staff yn fwy effeithlon, mae'r costau uned yn is ac mae'r busnes yn fwy tebygol o fod yn broffidiol.

Gall cymharu lefelau cynhyrchiant helpu busnes i nodi unrhyw broblemau a mynd i'r afael â nhw cyn iddyn nhw gael effaith sylweddol ar gostau. Gall y busnes ystyried a yw diweddaru offer a pheiriannau, gwella prosesau cynhyrchu a chodi lefelau sgiliau a chymhelliant staff, yn effeithio ar gynhyrchiant. Er enghraifft, gall y busnes wirio a yw cynllun bonws newydd wedi gwella cynhyrchiant.

Gall y busnes hefyd gymharu ei gynhyrchiant â'i gystadleuwyr er mwyn sicrhau ei fod yn parhau i fod yn gystadleuol. Er enghraifft, yn 2017, cafodd ffatri geir *Nissan* yn Sunderland ei chydnabod fel y ffatri geir fwyaf cynhyrchiol yn Ewrop wrth iddi greu 115 o geir yr awr.

Record amgylcheddol

Mae record amgylcheddol busnes yn cyfeirio at yr effaith y mae ei weithrediadau a'i weithgareddau yn ei chael ar y byd ehangach. Mae hyn yn cynnwys pecynnu, allyriadau carbon, gwaredu gwastraff, cadwyn gyflenwi 'werdd' a chynaliadwyedd. Cynaliadwyedd yw gallu busnes i gael ychydig neu ddim effaith gyffredinol ar yr amgylchedd. Er enghraifft, efallai fod busnes fel *Amazon* yn defnyddio deunydd pecynnu sydd wedi'i ailgylchu ac offer ynni-effeithlon. Efallai ei fod hefyd yn cael trydan o ffynonellau adnewyddadwy yn unig fel ynni gwynt.

Mae yna lawer o gyfreithiau y mae'n rhaid i fusnesau lynu wrthyn nhw wrth greu a gwerthu cynhyrchion. Er enghraifft, o dan gyfraith yr UE, mae gweithgynhyrchwyr ceir yn gyfrifol am ailgylchu pob hen gar a gafodd ei greu ganddyn nhw. Bydd angen i fusnes osod targedau ar gyfer materion amgylcheddol sy'n bodloni ei ymrwymiadau cyfreithiol ac ymrwymiadau eraill rhanddeiliaid. Gall y targedau hyn gael eu mesur a'u cymharu â blynyddoedd blaenorol er mwyn pennu pa mor effeithiol mae'r busnes wedi bod o ran ei record amgylcheddol.

Mae pwysigrwydd materion amgylcheddol i'w cwsmeriaid yn golygu bod busnesau yn aml yn dod o hyd i ffyrdd arloesol o leihau eu costau. Er enghraifft, mae *Marks and Spencer* wedi bod yn gweithredu ei strategaeth amgylcheddol, o'r enw 'Cynllun A', ers 10 mlynedd, ac mae bellach yn garbon niwtral. Nid yw'n anfon unrhyw wastraff i safleoedd tirlenwi, chwaith. Fodd bynnag, mae rhai busnesau'n hoffi dangos eu cymwysterau 'gwyrdd' ond, mewn gwirionedd, nid ydyn nhw'n gwneud llawer i helpu'r amgylchedd. Mae hyn yn cael ei adnabod fel '**gwyrddgalchu**' (*greenwashing*).

Profi gwybodaeth 13

Rhowch un enghraifft o fusnes sydd wedi gwneud ei record amgylcheddol yn bwynt gwerthu ar gyfer ei gynhyrchion.

Crynodeb

Ar ôl astudio'r pwnc hwn, dylech allu:

- esbonio sut y gellir gwerthuso perfformiad trwy ddefnyddio mesurau sydd ddim yn ariannol, gan gynnwys arolygon o agweddau cwsmeriaid, arolygon o agweddau gweithwyr, cyfran o'r farchnad, cynhyrchiant a record amgylcheddol busnes.

Nodau ac amcanion

Amcan busnes yw nod sy'n cael ei osod gan fusnes, fel arfer yn y tymor canolig i'r tymor hir. Gall gwmpasu'r materion ariannol ac anariannol sy'n bwysig i lwyddiant y busnes.

Cyfeirir at yr amcanion sy'n cael eu pennu gan y Cyfarwyddwyr fel amcanion corfforaethol. Caiff y rhain eu rhannu'n amcanion manylach ar gyfer gwahanol feysydd swyddogaethol y busnes, fel cynhyrchu. Mae'r **amcanion swyddogaethol** wedyn yn cael eu rhannu ymhellach i wahanol unedau neu dimau'r swyddogaeth. Yn y pen draw, gellir trosi'r rhain yn amcanion penodol ar gyfer aelodau staff unigol (Ffigur 11).

Amcan busnes Nod sy'n cael ei osod gan fusnes, fel arfer yn y tymor canolig i'r tymor hir .

Amcan swyddogaethol Targed ar gyfer adran unigol fel marchnata, fel bod staff yn gallu sicrhau bod yr amcan corfforaethol yn cael ei gyflawni.

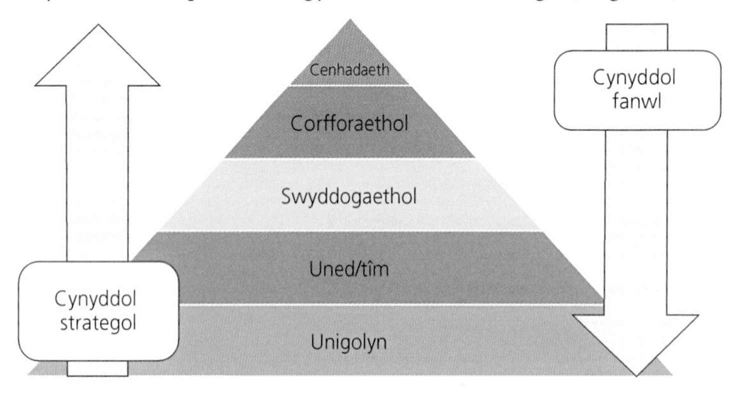

Ffigur 11 Hierarchaeth amcanion mewn busnes

Amcanion corfforaethol

Amcanion corfforaethol yw nodau sy'n cael eu gosod gan fusensau mawr fel cwmnïau cyfyngedig cyhoeddus. Mae gan fusnesau mawr yn aml lawer o randdeiliaid gwahanol sy'n golygu bod angen iddyn nhw osod amcanion sy'n ystyried eu gwahanol anghenion a dymuniadau. Ar gyfer cwmni cyfyngedig cyhoeddus, mae hyn yn cynnwys cyfranddalwyr, gweithwyr a chwsmeriaid.

Mae **datganiad o weledigaeth** yn arwain y busnes yn ei gamau presennol a chamau'r dyfodol. Er enghraifft, mae datganiad o weledigaeth *Samsung* yn nodi ymrwymiad i ysbrydoli ei gymunedau drwy fanteisio ar ei gryfderau allweddol: atebion creadigol, cynhyrchion arloesol a thechnoleg newydd. Mae **datganiad cenhadaeth** yn ddatganiad byr o weledigaeth y busnes. Datganiad cenhadaeth *Samsung* ar hyn o bryd yw 'ysbrydoli'r byd, creu'r dyfodol'. Mae **nod** yn ddatganiad cyffredinol o'r hyn y mae'r busnes yn bwriadu ei gyflawni yn y tymor hwy. Un o nodau *Samsung* yw bod y gwneuthurwr ffôn symudol mwyaf yn y byd.

Mae amcanion corfforaethol yn gosod targedau ar gyfer y busnes cyfan. Maen nhw fel arfer yn cael eu datblygu o'r datganiad cenhadaeth, ac fel arfer yn cael eu gosod gan y rhai sydd ar frig y sefydliad, fel Bwrdd y Cyfarwyddwyr. Mae amcanion swyddogaethol, tîm neu unigolyn yn cael eu gosod ar gyfer gwahanol rannau o'r busnes, ond rhaid i bob amcan gyfeirio'n ôl i'r amcanion corfforaethol fel bod pob lefel o'r busnes yn cyfrannu at yr amcanion hyn.

Datganiad o weledigaeth Mae'n nodi'r hyn mae'r busnes yn dymuno ei gyflawni yn y tymor hir a'r gweithgareddau allweddol a fydd yn cyflawni hyn.

Datganiad cenhadaeth Datganiad byr o weledigaeth a gwerthoedd busnes sy'n helpu i osod ei nodau a'i amcanion.

Nod Datganiad cyffredinol o'r hyn mae'r busnes yn bwriadu ei gyflawni yn y tymor hwy.

Dylai amcanion corfforaethol gwmpasu'r meysydd sy'n cael eu dangos yn Nhabl 5.

Tabl 5 Enghraifft o feysydd ar gyfer amcanion corfforaethol

Maes	Enghraifft o amcanion corfforaethol
Y farchnad	Cynyddu cyfran o'r farchnad
Arloesi	Lansio cynnyrch newydd
Cynhyrchiant	Gwella lefelau cynhyrchiant
Adnoddau ffisegol ac ariannol	Gosod targedau ariannol, diweddaru offer a pheiriannau
Proffidioldeb	Cynyddu lefelau elw
Rheoli	Uwchraddio'r strwythur rheoli
Gweithwyr	Gwella'r strwythur cyfundrefnol a'r cyfleoedd ar gyfer dyrchafiad
Cyfrifoldeb cyhoeddus	Gosod targedau ar gyfer ymddygiad cymdeithasol a moesegol, cydymffurfio â deddfwriaeth

Amcanion CAMPUS

Yr amcanion busnes mwyaf effeithiol yw'r rhai sydd wedi'u creu gan ddefnyddio'r acronym CAMPUS (SMART), sef Cyraeddadwy, Amser penodol, Mesuradwy, Penodol, Uchelgeisiol a Synhwyrol (h.y. realistig):

- **Penodol (*Specific*)** – dylai'r amcan nodi'n union beth sydd angen ei wneud e.e. amcan *Samsung* ar gyfer 2016 oedd cael gwerth $400 biliwn o werthiant.
- **Mesuradwy (*Measurable*)** – gall y busnes fesur sut y mae'n perfformio yn erbyn yr amcan a nodwyd e.e. gellid mesur gwerthiant *Samsung* drwy gydol 2016.
- **Cyraeddadwy (*Achievable*)** – a yw'r busnes yn gallu cyflawni'r amcan hwn? Cytunodd *Samsung* ar yr amcan hwn gyda'i Fwrdd Cyfarwyddwyr ar ôl ystyried ei ragfynegiadau gwerthiant a rhagfynegiadau'r farchnad.
- **Uchelgeisiol a Synhwyrol (*Realistic*)** – gall yr amcan fod yn bosibl mewn egwyddor, ond mae angen iddo hefyd ystyried yr adnoddau sydd ar gael i'r busnes e.e. efallai y bu angen i *Samsung* gynyddu ei gynhyrchiant i gefnogi'r lefel uwch o werthiant, drwy agor ffatrïoedd newydd neu wella ei ddefnydd o gapasiti, o bosibl.
- **Amser penodol (*Time specific*)** – dylid nodi dyddiad cau neu derfyn amser ar gyfer cyflawni'r amcan, sy'n ei gwneud yn fesuriadwy e.e. erbyn diwedd 2016.

Mae Ffigur 12 yn dangos sut y gellid trosglwyddo amcan corfforaethol fel un *Samsung* ar draws strwythur busnes.

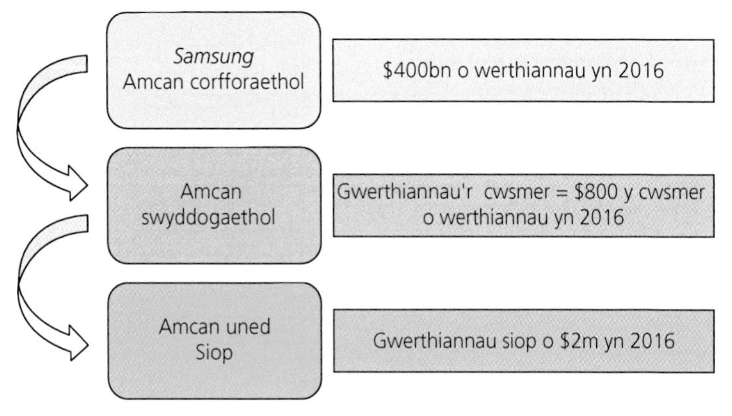

Ffigur 12 Enghraifft o amcan corfforaethol wedi'i drosglwyddo ar draws strwythur busnes

Profi gwybodaeth 14

Pam y gallai datganiad cenhadaeth helpu i gymell staff? Rhowch enghraifft o ddatganiad cenhadaeth y gallai staff ei ystyried yn gymhellol.

Profi gwybodaeth 15

Rhowch un rheswm pam y gallai amcanion, nad ydyn nhw'n rhai CAMPUS (SMART), arwain at fethiant.

Cyngor i'r arholiad

Mae angen i chi allu adnabod yr amcanion corfforaethol mwyaf priodol ar gyfer busnes a'u gwerthuso yn erbyn un neu ddwy elfen o'r acronym CAMPUS. Peidiwch ag anghofio ystyried darlun mwy y sefyllfa fusnes hefyd, gan y bydd hyn yn eich helpu i gael marciau uchel.

Gwerthuso datganiadau o weledigaeth, datganiadau cenhadaeth ac amcanion

Datganiadau o weledigaeth

Mae gan ddatganiad o weledigaeth ei fanteision:

- mae'n ganllaw ar gyfer cynllunio a gweithredu strategol
- mae'n helpu i ddiffinio safonau perfformiad a disgwyliadau
- mae'n cyfleu pwrpas y busnes i'w randdeiliaid

Fodd bynnag, mae ganddo anfanteision hefyd:

- mae'n anodd cael cydbwysedd rhwng un sy'n flaengar a heriol heb fod yn anghyraeddadwy
- gall gweithwyr eu hystyried yn ddi-werth os nad yw eu hamcanion unigol yn bodloni delfrydau'r datganiad o weledigaeth
- bydd yn aneffeithiol os nad yw'r busnes yn cyfathrebu ac yn atgyfnerthu ei weledigaeth gyda'i holl randdeiliaid

Datganiadau cenhadaeth

Dylai datganiad cenhadaeth da:

- wahaniaethu'r busnes oddi wrth ei gystadleuwyr
- bod yn berthnasol i'r holl brif randdeiliaid
- diffinio'r farchnad y mae'r busnes am lwyddo ynddi
- ysbrydoli a chymell rhanddeiliaid, yn enwedig gweithwyr

Dylai hefyd fod yn fyr, yn realistig, yn seiliedig ar ymgynghoriad â rhanddeiliaid, bod yn benodol i'r busnes, a chael ei gefnogi gan uwch reolwyr.

Mae datganiad cenhadaeth IKEA, sef 'Gwneud bywyd bob dydd yn well', yn seiliedig ar bartneriaeth rhwng y busnes a'i weithwyr, cyflenwyr a chwmseriaid. Mae'n ymddangos ei fod yn cwrdd â'r meini prawf ar gyfer datganiad cenhadaeth da — mae'n rhoi synnwyr clir o gyfeiriad i'r busnes ac yn gweithredu fel math o hysbysebu.

Fodd bynnag, gall datganiadau cenhadaeth yn aml fod yn benagored a hirwyntog ac yn dweud yr hyn sy'n amlwg. Efallai nad ydyn nhw'n adlewyrchu realiti o'r hyn yw gwerthoedd y busnes. Ar gyfer gweithwyr, nid yw geiriau teg yn golygu dim os caiff bwli o reolwr ei benodi i swydd uwch yn hytrach na'i ddisgyblu.

O ganlyniad, maen nhw'n gallu bod yn sinigaidd am y datganiad cenhadaeth sy'n peryglu tanseilio ei werth. Gall hynny, yn ei dro, effeithio ar allu'r busnes i gyflawni ei nodau ac amcanion. Mae angen i ddatganiadau cenhadaeth fod yn ddilys a dylen nhw esblygu wrth i'r busnes a'i farchnad newid.

Cyngor i'r arholiad

Er y gall materion anariannol fod yn bwysig iawn i lwyddiant busnes, cofiwch bwyso a mesur yn ofalus yr angen am gynnyrch da, llif arian da a refeniw da.

Crynodeb

Ar ôl astudio'r pwnc hwn, dylech allu:

- esbonio swyddogaeth datganiadau o weledigaeth a'u perthynas â nodau busnes
- esbonio sut y caiff amcanion eu defnyddio gan fusnes er mwyn cyflawni ei nodau
- esbonio beth mae amcanion CAMPUS yn ei olygu
- esbonio swyddogaeth a phwrpas datganiadau cenhadaeth
- gwerthuso datganiadau o weledigaeth, amcanion a datganiadau cenhadaeth a'u heffaith ar fusnes

Strategaeth a gweithrediad

Strategaeth, tactegau a chynlluniau corfforaethol

Strategaeth

Strategaeth yw lle mae'r busnes yn ceisio ei gyrraedd yn y tymor hir e.e. y marchnadoedd y mae'n dymuno mynd iddyn nhw, lefel y twf y mae'n dymuno ei chyflawni a'r gwerthoedd a'r disgwyliadau y mae'n dymuno eu meithrin gyda rhanddeiliaid. Mae strategaeth yn cael ei chyflawni drwy ddefnyddio amcanion. **Cyfeiriad strategol** yw'r llwybr sy'n cael ei ddilyn gan fusnes er mwyn cyflawni ei nodau.

Mae modd rhoi strategaethau ar waith ar gyfer gwahanol rannau o'r busnes:

- Mae **strategaeth gorfforaethol** yn ymwneud â diben a chwmpas cyffredinol y busnes. Mae'n diffinio'r marchnadoedd y mae'r busnes yn dewis gweithredu ynddyn nhw, a lle mae'r busnes yn ceisio ei gyrraedd yn y tymor hir er mwyn diwallu anghenion ei randdeiliaid. Gellir crynhoi hyn yn aml mewn datganiad cenhadaeth.
- Mae **strategaeth adrannol** yn cael ei defnyddio gan ran o'r busnes er mwyn ei helpu i gyflawni'r strategaeth gyffredinol. Er enghraifft, mae gan *Google* adran o'r enw *Nest* sy'n adeiladu thermostatau clyfar a chamerâu diogelwch. Bydd strategaeth *Nest* yn helpu *Google* i gyflawni ei strategaeth gorfforaethol o sicrhau gwerth ariannol am gynhyrchion a chyfleoedd.
- Mae **strategaeth swyddogaethol** yn cael ei defnyddio gan ran o'r busnes er mwyn ei helpu i gyflawni'r strategaeth gorfforaethol. Mae swyddogaeth fel adnoddau dynol yn datblygu ei strategaeth ei hun i sicrhau bod strategaeth gyffredinol y busnes yn cael ei chyflawni e.e. drwy sicrhau bod yna ddigon o staff gyda'r sgiliau cywir i wneud i bencadlys newydd *Apple* weithredu'n effeithiol.

Strategaeth gorfforaethol Mae'n diffinio diben a chwmpas y busnes er mwyn bodloni disgwyliadau rhanddeiliaid.

Tactegau

Tactegau yw'r camau llai a'r nodau tymor byrrach sy'n helpu i gyflawni strategaeth gyffredinol y busnes. Mae tactegau'n cynnwys cynlluniau ac arferion gorau, ond mae angen iddyn nhw fod yn ddigon hyblyg i newid yn dibynnu ar lwyddiant y strategaeth fusnes. Yn aml, bydd ganddyn nhw ddyddiadau dechrau a gorffen penodol ynghyd â cherrig milltir sy'n helpu i benderfynu pa mor llwyddiannus y buon nhw.

Tactegau Y camau llai a'r nodau tymor byrrach sy'n helpu i gyflawni strategaeth y busnes.

Cynlluniau corfforaethol

Mae **cynllun corfforaethol** yn pennu'r nodau y mae'r busnes am eu cyflawni yn y dyfodol ac yn nodi sut y mae'n bwriadu eu cyflawni. Bydd y cynllun corfforaethol yn:

- **Nodi'r strategaeth fusnes**, gan gynnwys cenhadaeth a gweledigaeth y busnes. Bydd hyn yn cynnwys ystyried y cyfleoedd a'r bygythiadau yn y farchnad y mae'r busnes yn dymuno gweithredu ynddi. Bydd hefyd yn gosod nodau realistig sy'n adlewyrchu'r sefyllfa hon.
- **Helpu i gynllunio a pharatoi'r adnoddau sydd eu hangen** i gyflawni'r amcanion e.e. anghenion ariannol a staffio.
- **Pennu targedau sydd wedi'u diffinio a'u mesur yn glir** er mwyn i'r busnes eu monitro a'u rheoli. Gwneir hyn er mwyn sicrhau bod yr amcanion yn cael eu cyflawni o fewn y terfynau amser a nodwyd. Os na fydd y targedau'n cael eu cyflawni, neu os byddan nhw'n cael eu gorgyflawni, bydd angen i'r busnes sefydlu strwythur i ddatrys y problemau hyn.
- **Cael ei adolygu'n flynyddol** i werthuso perfformiad ac ymateb i unrhyw newidiadau yn y farchnad a'r economi. Gwneir hyn er mwyn sicrhau bod y cynllun yn parhau'n realistig ac yn gyraeddadwy.

Dadansoddiad SWOT

Bwriad **dadansoddiad SWOT** yw darganfod beth mae'r busnes yn ei wneud yn well na'r gystadleuaeth, beth mae cystadleuwyr yn ei wneud yn well na'r busnes, a yw'r busnes yn gwneud y mwyaf o'r cyfleoedd sydd ar gael, a sut y dylai'r busnes ymateb i newidiadau yn yr amgylchedd allanol. Canlyniad y dadansoddiad yw matrics o ffactorau cadarnhaol a negyddol i helpu'r busnes i gynllunio strategaeth. Mae Tabl 6 yn dangos matrics enghreifftiol ar gyfer y diwydiant gwestai yn y DU.

Tabl 6 Cryfderau, gwendidau, cyfleoedd a bygythiadau i'r diwydiant gwestai yn y DU

Cryfderau	Cyfleoedd
■ Mae twristiaeth o'r tu allan wedi bod yn codi'n gyson: cryfder mawr yn Llundain a Chaeredin. ■ Mae gan y diwydiant elastigedd incwm uchel a chadarnhaol, felly wrth i bobl ddod yn fwy cefnog, maen nhw'n defnyddio gwestai yn amlach.	■ Mae gwestai Prydeinig fel y Ritz, y Savoy a Claridges yn fyd-enwog; mae hyn yn cynnig potensial enfawr ar gyfer twf dramor ■ Ar ôl 5 mlynedd o ddiffyg penderfyniad, ymrwymodd Llywodraeth Prydain yn 2015 i dorri'r pris uchel am visa y mae'n rhaid i ddinasyddion China ei dalu; dylai hyn helpu i gynyddu nifer y twristiaid.
Gwendidau	**Bygythiadau**
■ Busnes tymhorol yw twristiaeth yn ei hanfod, yn enwedig i ffwrdd o ganolfannau dinesig fel Llundain; mae hyn yn peri problemau o ran llif arian a defnyddio capasiti ■ Mae diffyg ymrwymiad gan bobl ifanc o Loegr yn golygu bod y diwydiant yn dibynnu'n helaeth ar fewnfudwyr a llafur sydd, o bosibl, dros dro.	■ Mae *Airbnb* yn bygwth y diwydiant drwy gynnig prisiau na ellir cystadlu yn eu herbyn wrth i unigolion rentu eu hystafelloedd eu hunain – dyma fygythiad ar-lein i'r diwydiant gwestai. ■ Mae dirywiadau economaidd yn ergyd drom i'r diwydiant gwestai; pan fydd y dirwasgiad economaidd nesaf yn dechrau, bydd y diwydiant hwn ymhlith y rhai a gaiff eu taro waethaf.

Er mwyn defnyddio dadansoddiad SWOT, mae angen i fusnes sefydlu ei berfformiad presennol yn y farchnad o'i gymharu â'i gystadleuwyr. Er enghraifft:

- **Crydferau a gwendidau mewnol:** dylai busnes flaenoriaethu ffactorau sy'n bwysig i'w lwyddiant dros y rhai sy'n llai pwysig. Mae'r rhain yn cynnwys ei ddelwedd brand, ffigurau gwerthiant a refeniw, gwerthiant tebyg am debyg, cyfran o'r farchnad a defnydd o gapasiti. Yr allwedd i flaenoriaethu'r materion pwysicaf yw canolbwyntio ar y data sy'n cyfrannu'n uniongyrchol at amcanion corfforaethol y busnes. Er enghraifft, yn Nhabl 6 ar gyfer y diwydaint gwestai yn y DU, un o'r cryfderau yw mwy o dwristiaeth o'r tu allan yn Llundain. Gwendid yw llif arian a allai achosi problemau. Gellir ei egluro drwy edrych ar ffigurau incwm a gwariant drwy gydol y flwyddyn ynghyd â phris defnyddio ystafelloedd mewn gwestai.
- **Cyfleoedd a bygythiadau allanol:** dylai busnes ganolbwyntio ar feysydd fel y niferoedd poblogaeth presennol a'r rhai a ragwelir ar gyfer segmentau marchnadoedd presennol a phosibl, deddfwriaeth newydd, newidiadau technolegol, prisiau nwyddau a ffactorau economaidd fel cynnydd mewn chwyddiant neu ddiweithdra. Yn Nhabl 6, gellir gweld y cyfleoedd sydd ar gael i westai adnabyddus yn Llundain o ganlyniad i'r Llywodraeth yn llacio cyfyngiadau fisa dinasyddion China. Ymhlith y bygythiadau mae twf cwmnïau ar-lein fel *Airbnb* y mae eu technoleg yn caniatáu i unigolion rentu ystafelloedd am brisiau cymharol isel.

Dadansoddiad SWOT Dull ar gyfer dadansoddi busnes, ei adnoddau a'i amgylchedd. Fe'i defnyddir i nodi cryfderau a gwendidau mewnol busnes ynghyd â'i gyfleoedd a bygythiadau allanol.

Profi gwybodaeth 16

Pam y gallai cael rhywun nad yw'n gysylltiedig â'r busnes i gynnal y dadansoddiad SWOT fod yn fwy effeithiol?

Cyngor i'r arholiad

Wrth werthuso strategaeth busnes, cofiwch fod arloesedd a chreadigrwydd yn gallu bod yr un mor bwysig — mae llwyddiant llawer o sefydliadau yn seiliedig ar fentro yn hytrach na threulio gormod o amser yn meddwl am strategaethau.

Cryfder allweddol dadansoddiad SWOT yw ei fod yn annog busnes i ddatblygu strategaethau er mwyn troi ei wendidau yn gryfderau. Er enghraifft, gallai'r diwydiant gwestai greu ymateb technolegol i *Airbnb*, gydag ystafelloedd yn cael eu cynnig am wahanol brisiau ar wahanol lwyfannau. Byddai hyn yn rhoi ymateb gwahaniaethol i'r gwendid sy'n cael ei nodi yn Nhabl 6.

Fodd bynnag, un o **anfanteision** defnyddio dadansoddiad SWOT yw y gallai orsymleiddio'r cryfderau, y gwendidau, y cyfleoedd a'r bygythiadau sy'n wynebu'r busnes. Hefyd, gall y broses o nodi'r materion allweddol gymryd llawer o amser a bod yn gymhleth.

Fframwaith Pum Grym Porter

Mae **fframwaith Pum Grym Porter** yn ceisio cynnig ffordd syml o ystyried pob mater sy'n ymwneud â'r amgylchedd cystadleuol newidiol y mae busnes yn gweithredu ynddo. Mae'r fframwaith yn cael ei grynhoi yn Ffigur 13.

Fframwaith Pum Grym Porter Model ar gyfer dadansoddi natur y gystadleuaeth o fewn diwydiant neu farchnad. Mae'n ystyried bygythiad newydd-ddyfodiaid i farchnad, pŵer bargeinio cyflenwyr a phrynwyr, bygythiad cynnyrch neu wasanaethau amnewid, a'r gystadleuaeth ymhlith cystadleuwyr presennol.

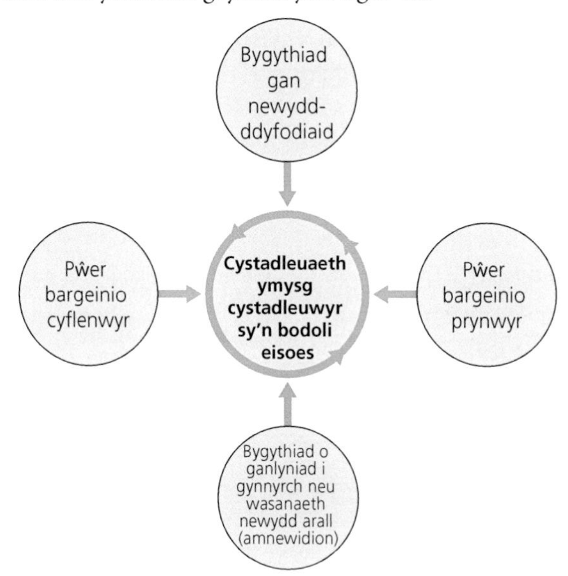

Ffigur 13 Fframwaith Pum Grym Porter

Ffynhonnell: Michael E. Porter, 'The Five Competitive Forces That Shape Strategy', *Harvard Business Review*, Ionawr 2008

Nododd Porter bum ffactor sy'n effeithio ar gystadleuaeth:

- **Bygythiad gan newydd-ddyfodiaid** — effaith bosibl busnes newydd yn ymuno â'r farchnad gan dybio ei fod yn ennill cyfran o'r farchnad ac felly'n cynyddu'r gystadleuaeth. Mae sefyllfa busnes yn gryfach po fwyaf y **rhwystrau i fynediad** sydd yn y farchnad. Lle dywedir bod y rhwystrau i fynediad yn uchel, mae'n anoddach i fusnes newydd ddod i mewn i'r farchnad. Gall rhwystrau i fynediad gynnwys darbodion maint, teyrngarwch i frand, technolegau cyfoes a pholisïau cyfreithiol a phrisio y bydd angen i fusnes eu datblygu cyn dod yn gystadleuol.
- **Pŵer bargeinio** neu **pŵer negodi cyflenwyr** — faint o bŵer sydd gan gyflenwr, gan dybio ei fod yn gwerthu cynhyrchion am bris uwch os yw'n bosibl. Os yw'r cyflenwr mewn safle flaenllaw, yna bydd y pris sy'n cael ei dalu gan y busnes am ddeunyddiau crai yn uwch, ac felly bydd ei elw yn lleihau. Ymhlith y ffactorau sy'n effeithio ar bŵer

Rhwystr i fynediad Cost sy'n gysylltiedig â busnes sydd am gael mynediad i farchnad nad yw'n cael ei hysgwyddo ar hyn o bryd gan y busnesau hynny sydd eisoes yn y farchnad.

bargeinio cyflenwyr mae unigrywiaeth yr hyn maen nhw'n ei gyflenwi, nifer a maint y cyflenwyr, cyflenwi'r deunyddiau a'r gost o newid i ffynonellau cyflenwi amgen.

- **Pŵer bargeinio prynwyr** — i ba raddau y mae cwsmeriaid yn gallu rhoi pwysau a gyrru prisiau i lawr. Ymhlith y ffactorau sy'n effeithio ar bŵer bargeinio cwsmeriaid mae lefel yr archebion, nifer y cystadleuwyr sy'n cyflenwi'r cynnyrch a'r gost o newid. Bydd gan gwsmeriaid bŵer bargeinio cryf os ydyn nhw'n ychydig o ran nifer, yn prynu swm sylweddol o gynnyrch y busnes, yn gallu dewis o blith ystod eang o gyflenwyr neu'n ei chael hi'n hawdd ac yn rhad newid i gyflenwyr eraill y cynnyrch.
- **Bygythiad o gynhyrchion neu wasanaethau amnewid newydd** — effaith unrhyw gynnyrch neu wasanaeth o wahanol ddiwydiant sy'n bodloni'r un anghenion â'r un sy'n cael ei ddarparu gan fusnes. Er enghraifft, yn y busnes trafnidiaeth awyr, gallai amnewidion eraill gynnwys ceir, trenau neu fysiau. Mae lefel y bygythiad yn dibynnu ar faterion fel parodrwydd cwsmeriaid i newid, teyrngarwch cwsmeriaid, ac i ba raddau y mae'r dewis arall yn cyfateb i gynnyrch y busnes o ran pris a pherfformiad.
- **Cystadleuaeth o gystadleuwyr eraill** — faint o gystadleuaeth sydd o gyfeiriad cwmnïau eraill. Dyma'r ffactor canolog yn fframwaith Pum Grym Porter (Ffigur 13) wrth iddo siapio'r dull y mae'n rhaid i fusnes ei fabwysiadu. Os oes yna gystadleuaeth ddwys yn y farchnad, mae busnes yn fwy tebygol o fabwysiadu strategaethau prisio cystadleuol, buddsoddi mewn arloesi a chynhyrchion newydd, a chynyddu ei weithgarwch yn hyrwyddo a hysbysebu gwerthiant. Mae hyn oll yn arwain at gostau uwch ac, o bosibl, elw is. Mae dwyster y gystadleuaeth yn cael ei bennu gan nifer y cystadleuwyr yn y farchnad, y potensial ar gyfer twf, gwahaniaethu cynnyrch, teyrngarwch brand, argaeledd amnewidion, defnydd o gapasiti, costau mynediad a rhwystrau ymadael. Mae Tabl 7 yn dangos effeithiau posibl gwahanol lefelau o gystadleuaeth.

Cyngor i'r arholiad

Wrth ateb cwestiynau arholiad am fframwaith Pum Grym Porter, mae'n rhaid cydnabod ei fod yn rhoi cipolwg ar yr hyn sy'n digwydd mewn marchnad neu ddiwydiant ar bwynt penodol mewn hanes. Felly, mae wedi dyddio'n gyflym, yn enwedig mewn marchnadoedd sy'n symud yn gyflym.

Tabl 7 Effeithiau posibl gwahanol lefelau o gystadleuaeth

Lle mae dwyster y gystadleuaeth yn isel	Lle mae dwyster y gystadleuaeth yn uchel
Ychydig o fusnesau sy'n dominyddu'r farchnad	Mae llawer o gystadleuwyr tua'r un faint
Mae brandio'n bwysig i ddefnyddwyr	Mae cynnyrch yn gymharol anwahaniaethol
Mae cyfleoedd ar gyfer twf y farchnad ar gael i bawb	Mae twf y farchnad yn araf
Nid oes llawer o gapasiti ar ôl	Mae'r defnydd o gapasiti yn isel
Mae rhwystrau i fynediad yn uchel	Mae rhwystrau i fynediad yn isel
Nid oes cystadleuaeth uniongyrchol o dramor	Mae busnesau'n wynebu cystadleuaeth uniongyrchol o dramor

Gall y fframwaith Pum Grym gael ei ddefnyddio gan fusnes i asesu diogelwch ei safle mewn marchnad y mae eisoes yn gweithredu ynddi. Neu fe ellir defnyddio'r fframwaith gan fusnes sy'n ystyried mynd i farchnad benodol. Mae angen ymchwil i'r farchnad er mwyn cwblhau dadansoddiad ac mae cwmnïau ymchwil i'r farchnad fel *Mintel* yn darparu adroddiadau'n rheolaidd at y diben hwn.

Y manteision o ddefnyddio fframwaith Pum Grym Porter yw ei fod yn fan cychwyn da ar gyfer gwerthuso'r sefyllfa bresennol mewn marchnad ac yn dangos i fusnes lle y gall ddiogelu a thyfu ei gynnyrch/gynhyrchion presennol. Fodd bynnag, yr anfanteision yw bod y fframwaith yn tybio bod grymoedd y farchnad yn aros yn gymharol statig, ond efallai nad yw hynny'n wir am lawer o farchnadoedd. Nid yw, ychwaith, yn ystyried grymoedd di-farchnad, fel effaith deddfwriaeth, a gall ond rhoi cipolwg o'r farchnad neu'r diwydiant ar adeg benodol.

Profi gwybodaeth 17

Ar gyfer busnes sy'n ystyried ymsefydlu yn China, pam y gallai fod yn fwy anodd perfformio dadansoddiad Pum Grym dibynadwy ar y farchnad ddewisol? Aminellwch pam y gall grymoedd nad ydyn nhw yn y farchnad fod yn bwysig yn China.

Gwerthuso strategaeth fusnes a chynlluniau corfforaethol

Manteision

- Mae strategaeth fusnes yn galluogi busnes i ddeall ei gwsmeriaid yn well ac yn ceisio rhagfynegi eu dymuniadau a'u hanghenion.
- Gall helpu busnes i greu cynnyrch sy'n bodloni disgwyliadau cwsmeriaid, ond y gellir ei wahaniaethau oddi wrth ei gystadleuwyr o ran cost, arloesoedd neu ansawdd.
- Mae cynlluniau corfforaethol yn rhoi sicrwydd a hyder i fusnesau yn eu hymagwedd at dwf a llwyddiant yn y dyfodol.
- Gall y cynlluniau hyn helpu busnesau i ystyried gwahanol opsiynau a risgiau a chreu dull strwythuredig o sicrhau'r effaith fwyaf cadarnhaol ar y busnes.

Anfanteision

- Er mwyn gweithredu'r strategaeth fusnes, mae angen cydweithio rhwng pob rhan o'r busnes a hyd yn oed y cyflenwyr. Heb y bartneriaeth hon, bydd yn anodd i'r busnes ennill mantais gystadleuol.
- Bydd angen i fusnes fonitro ei strategaeth yn ofalus er mwyn osgoi cystadleuwyr yn cael mantais, a gallu newid ei strategaeth yn gyflym neu fentro colli unrhyw fuddion.
- Nid yw cynlluniau corfforaethol yn aml yn fawr mwy na rhagfynegiadau o ddigwyddiadau a thueddiadau nad oes gan y busnes fawr o reolaeth drostyn nhw. O ganlyniad, gellir buddsoddi llawer o amser ac arian yn y cynllun heb lawer o wobr.
- Er mwyn i gynlluniau corfforaethol fod yn effeithiol, mae angen i'r rhagfynegiadau y maen nhw'n seiliedig arnyn nhw fod mor gywir â phosibl.

Matrics Ansoff

Mae **matrics Ansoff** yn cyflwyno pedair strategaeth dwf amgen mewn matrics, fel sy'n cael ei ddangos yn Ffigur 14.

Matrics Ansoff Matrics ar gyfer creu cynllun marchnata strategol sy'n edrych ar y strategaeth farchnata mewn perthynas â strategaethau eraill y cwmni.

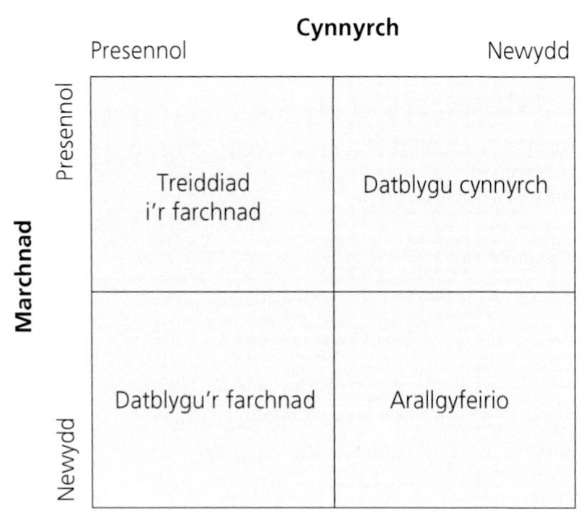

Ffigur 14 Matrics Ansoff

Y strategaethau twf sy'n cael eu hawgrymu gan y matrics yw:

- **Treiddiad i'r farchnad**, lle mae'r busnes yn canolbwyntio ar werthu ei gynhyrchion presennol i farchnadoedd y mae'n gweithredu ynddyn nhw eisoes. Gellid gwneud hyn drwy gynnal neu gynyddu cyfran o'r farchnad e.e. drwy brisio cystadleuol, hysbysebu neu fwy o werthu personol. Efallai mai'r nod fydd sicrhau safle blaenllaw yn y farchnad dros gystadleuwyr drwy hyrwyddo'n ffyrnig, prisio treiddio a/neu gynyddu nifer y cwsmeriaid sy'n ailymweld drwy gynlluniau fel cardiau ffyddlondeb. Manteision y strategaeth hon yw bod gan y busnes eisoes ddealltwriaeth dda o'r farchnad bresennol, ei gystadleuwyr ac anghenion y cwsmeriaid, felly mae'r buddsoddiad mewn ymchwil newydd i'r farchnad yn gyfyngedig. Mae'r risgiau sy'n gysylltiedig â threiddiad i'r farchnad yn isel — ond felly hefyd y wobr bosibl.
- **Datblygu'r farchnad**, pan mae'r busnes yn penderfynu gwerthu ei gynhyrchion presennol i farchnadoedd newydd. Gellir gwneud hyn drwy fynd i farchnadoedd daearyddol newydd, drwy ddefnyddio sianelau dosbarthu newydd a defnyddio dulliau prisio newydd i ddenu cwsmeriaid gwahanol neu greu segmentau newydd yn y farchnad. Os yw hyn yn gweithio, dylai ddod â mwy o wobrau na threiddiad i'r farchnad, ond mae'r risgiau dan sylw yn fwy — meddyliwch am agor y siop goffi *Costa* gyntaf yn Mumbai, India, yn hytrach na'i hagor yn Terminal 2 ym Maes Awyr Heathrow.
- **Datblygu cynnyrch**, pan mae busnes yn bwriadu cyflwyno cynhyrchion newydd i farchnadoedd sy'n bodoli eisoes. Efallai y bydd angen i'r busnes ddatblygu sgiliau newydd i allu creu gwahanol gynhyrchion a all apelio at y marchnadoedd sy'n bodoli eisoes. Mae hyn, unwaith eto, yn beryglus iawn: meddyliwch am *Walkers Crips* yn lansio tatws rhost wedi'u rhewi.
- **Arallgyfeirio**, pan mae busnes yn marchnata cynnyrch newydd i farchnadoedd newydd. Mae hon yn strategaeth fentrus iawn gan na fydd gan y busnes unrhyw brofiad yn y farchnad na'r cynhyrchion. Rhaid iddo ystyried yn ofalus y manteision posibl yn erbyn y risgiau cyn mabwysiadu'r dull gweithredu hwn. Os yw arallgyfeirio'n llwyddiannus, fodd bynnag, bydd y manteision i'r busnes yn enfawr. Ac os yw un farchnad yn ddisymud, mae'n bosibl y bydd un arall yn tyfu, gan inswleiddio busnes rhag dirywiad cyffredinol mewn perfformiad.

Profi gwybodaeth 18

Gan feddwl am gylchred oes cynnyrch, pa elfen o fatrics Ansoff fyddai'r dull gorau ar gyfer strategaeth ymestyn cynnyrch?

Manteision defnyddio matrics Ansoff yw ei fod yn rhoi syniad o lefel y risg wrth fynd ar drywydd y strategaethau posibl ar gyfer twf. Mae hefyd yn dangos cost cyfle pob dewis amgen, a gellir datblygu nodau ac amcanion o bob un o'r pedwar dull. Fodd bynnag, anfanteision defnyddio matrics Ansoff yw mai model damcaniaethol yn unig ydyw ac nid yw'n ystyried gweithgareddau cystadleuwyr.

Twf organig (neu fewnol) ac allanol

Mae twf yn golygu ehangu refeniw gwerthiant busnes — fel arfer yn y gobaith y bydd elw'n cynyddu hefyd. Gall mwy o refeniw gwerthiant ac elw ddod o **dwf organig** neu **dwf allanol**.

Mae twf organig yn adeiladu ar alluoedd ac adnoddau'r busnes ei hun. Gellir cyflawni hyn drwy ddylunio a datblygu cynnyrch newydd, agor lleoliadau busnes newydd, buddsoddi mewn adnoddau cynhyrchu newydd er mwyn cynyddu allbwn, a hyfforddi gweithwyr ar gyfer y sgiliau newydd sydd eu hangen i gynhyrchu a gwerthu cynhyrchion newydd.

Twf organig Y twf mewn refeniw ac elw sy'n codi pan fydd busnes yn ehangu ei weithrediadau presennol yn hytrach na chwblhau cydsoddiad neu drosfeddiant.

Twf allanol Pan mae'r busnes yn ceisio tyfu drwy gwblhau cydsoddiad neu drosfeddiant.

Caiff twf allanol ei gyflawni drwy gydsoddiad (*merger*) neu drosfeddiant (*takeover*) a all roi mynediad cyflym i fusnes i gynhyrchion neu farchnadoedd newydd a chyfran gynyddol o'r farchnad. Mae hefyd yn gallu helpu i ddod dros unrhyw rwystr i gael mynediad i farchnad arbennig sy'n cael ei thargedu. Fodd bynnag, mae costau caffael neu gydsoddiad â busnes arall yn uchel ac mae angen arbenigedd sylweddol i gyfuno adnoddau a gweledigaethau pob busnes yn llwyddiannus.

Mae'r gwahaniaethau rhwng twf organig ac allanol yn cael eu dangos yn Nhabl 8.

Tabl 8 Y gwahaniaethau rhwng twf organig ac allanol

Twf organig	Twf allanol
Gellir cynyddu'r capasiti cynhyrchu presennol drwy fuddsoddi mewn technoleg newydd	Gellir cynyddu'r gallu i gynhyrchu drwy gydsoddiad neu drosfeddiant busnes arall
Gellir datblygu a lansio cynhyrchion newydd; gellir dod o hyd i farchnadoedd newydd	Gellir ehangu amrediad y cynnyrch drwy gydsoddiad neu drosfeddiant, ac efallai na fydd angen datblygu cynnyrch newydd
Gall twf gymryd mwy o amser i'w gyflawni gan fod sefydlu rhagor o weithwyr, peiriannau ac adnoddau dosbarthu yn cymryd amser	Gellir sicrhau twf yn gymharol gyflym gan fod gweithwyr, peiriannau ac adnoddau dosbarthu ar waith eisoes.

Enghraifft o fusnes sy'n llwyddo i ddefnyddio twf organig yw *Subway*, masnachfraint brechdanau Americanaidd. Yn 2001, cyhoeddodd gynlluniau i ehangu ar draws y DU dros gyfnod o 10 mlynedd. Ar y pryd, roedd gan *Subway* 52 o siopau masnachfraint yn y DU. Ond erbyn 2015, *Subway* oedd busnes bwyd cyflym masnachfraint mwyaf y DU gyda dros 2,000 o siopau.

Manteision twf organig yw ei fod yn caniatáu i fusnes **adeiladu ar ei gryfderau,** fel ei frand a theyrngarwch ei gwsmeriaid. Mae hefyd yn caniatáu i'r busnes dyfu ar gyfradd sy'n gynaliadwy ac sy'n haws ei reoli yn lle hylaw. Gall gael ei ariannu, o bosib, gan gronfeydd arian mewnol fel elw cadw. Mae hyn yn gwneud y broses ehangu yn llai peryglus.

Yr anfanteision yw y gallai fod yn **yn fwy anodd adeiladu cyfran o'r farchnad** os oes yna arweinydd yn y farchnad eisoes. Gall y twf fod yn araf hefyd ac mae'n bosibl na fydd modd sicrhau darbodion maint cyn gynted â phosibl drwy dwf allanol.

Profi gwybodaeth 19

Pam y gallai twf allanol fod yn ddull mwy priodol ar gyfer busnes mewn marchnad ddeinamig?

Cydsoddiad a throsfeddiant

Cydsoddiad yw pan fydd dau fusnes ar wahân sy'n weddol gyfartal o ran maint yn cytuno i gyfuno er mwyn creu busnes newydd. **Trosfeddiant** yw pan fydd un busnes yn cael gafael ar fuddiant llywodraethol mewn busnes arall — mewn gwirionedd, mae yna newid perchnogaeth. Mae'r gwahaniaethau rhwng cydsoddiad a throsfeddiant yn cael eu dangos yn Nhabl 9.

Cydsoddiad Cyfuno dau fusnes ar wahân i greu busnes newydd.

Trosfeddiant Pan mae un busnes yn cael gafael ar fuddiant llywodraethol mewn busnes arall.

Tabl 9 Y gwahaniaethau rhwng cydsoddiad a throsfeddiant

Cydsoddiad	Trosfeddiant
Fel arfer yn digwydd rhwng dau fusnes o faint cymharol gyfartal	Fel arfer yn digwydd pan fydd busnes mwy yn prynu busnes llai
Angen trafodaeth rhwng y ddwy set o gyfarwyddwyr, ac felly rhywfaint o gytundeb	Gellir gorfodi trosfeddianu ar gyfarwyddwyr sydd ddim am werthu; trosfeddiant gelyniaethus yw pan fydd busnes mwy o faint yn prynu busnes llai yn erbyn dymuniadau tîm rheoli'r busnes llai

Mae cydsoddiad a throsfeddiant yn cael eu cynnal am wahanol resymau, gan gynnwys:

- cael gafael ar arbenigedd technolegol
- lleihau costau drwy ddarbodion maint, yn y gobaith o wella'r gallu i gystadlu
- symud o economïau aeddfed fel y DU sydd â thwf isel neu ddim twf
- cael mynediad i rwydweithiau dosbarthu ehangach
- arallgyfeirio drwy fuddsoddi mewn cynhyrchion newydd neu farchnadoedd newydd, fel India, er mwyn bod yn llai dibynnol ar un cynnyrch neu farchnad

Gallai cydsoddiad neu drosfeddiant fod yn rhan o strategaeth twf busnes — rhan o'i gynllun busnes tymor hir. Er mwyn penderfynu beth ddylai ei strategaeth fod, bydd busnes yn defnyddio modelau fel fframwaith Pum Grym Porter, dadansoddiad portffolio a matrics Ansoff er mwyn gweld pa opsiwn yw'r **ffit strategol orau**, h.y. pa ddull a fydd yn cyd-fynd orau â galluoedd y busnes a'i amcanion corfforaethol.

Integreiddio llorweddol a fertigol

Mae Ffigur 15 yn crynhoi'r gwahanol ffyrdd y gall busnes gwblhau cydsoddiad neu drosfeddiant drwy **integreiddio llorweddol** neu **fertigol**.

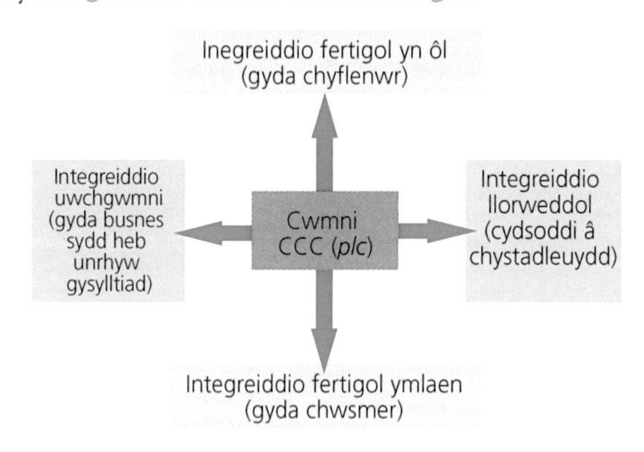

Ffigur 15 Integreiddio llorweddol a fertigol

Enghraifft o integreiddio llorweddol fyddai *Coca-Cola* yn cydsoddi â *PepsiCo* — mae'r ddau gwmni'n cynhyrchu ac yn dosbarthu diodydd meddal i'w hailwerthu gan fanwerthwyr.

Ymhlith manteision integreiddio llorweddol yw mwy o ddarbodion maint, mwy o gyfran o'r farchnad a phŵer y farchnad, costau cynhyrchu is a llai o gystadleuaeth. Ymhlith yr anfanteision mae cynnydd posibl mewn costau uned o ganlyniad i anarbodion maint, a'r posibilrwydd bod rheolwyr a staff ddim yn rhoi o'u gorau.

Enghraifft o integreiddiad fertigol fyddai bod stiwdio ffilm yn prynu cadwyn sinema i wneud yn siŵr bod ei ffilmiau'n cael eu dosbarthu'n eang.

Ymhlith manteision integreiddio fertigol mae mwy o reolaeth dros y gadwyn gyflenwi, gwell mynediad at ddeunyddiau crai neu weithgynhyrchu, a gwell rheolaeth dros sianelau dosbarthu manwerthu. Ymhlith yr anfanteision mae llai o sgôp ar gyfer darbodion maint gan fod y busnes yn gweithredu ar wahanol lefelau cynhyrchu. Mae posibilrwydd hefyd o fod yn hunanfodlon os yw cyflenwyr yn gwybod y byddwch chi bob amser yn prynu ganddyn nhw, neu pan mae cwsmeriaid manwerthu yn gwybod y byddwch chi bob amser yn gwerthu iddyn nhw.

Profi gwybodaeth 20

Amlinellwch broblem bosibl i fusnesau mwy o faint sy'n ymgymryd â busnes llai ar ffurf trosfeddiant gelyniaethus.

Profi gwybodaeth 21

Pam yr ystyriwyd *Nokia*, y gwneuthurwr ffonau symudol, fel y ffit strategol orau ar gyfer trosfeddiant gan *Microsoft*, cynhyrchydd meddalwedd cyfrifiadurol?

Cyngor i'r arholiad

Mae cydsoddiad a throsfeddiant yn bwnc arholiad cyffredin, felly mae'n werth ystyried enghreifftiau o fywyd go iawn i weld y dulliau gweithredu y mae busnesau fel Microsoft wedi'u cymryd — yn syml, gallai trosfeddiant fod yn fater o gael gwared ar gystadleuaeth yn hytrach na thwf allanol.

Integreiddio llorweddol Pan mae dau fusnes sy'n gweithredu yn yr un diwydiant ac ar yr un cam yn y gadwyn gyflenwi, yn dod yn un busnes.

Integreiddio fertigol Pan mae busnes yn caffael busnes arall yn yr un farchnad, ond ar gam gwahanol yn y gadwyn gyflenwi.

Gall busnes hefyd ymgymryd ag **integreiddio ymlaen**, sy'n golygu cydsoddi neu drosfeddiannu cwsmer, neu **integreiddio yn ôl**, sy'n golygu cydsoddi neu drosfeddiannu cyflenwr.

Profi gwybodaeth 22

Pam y gallai Llywodraeth UDA roi'r gorau i gydsoddiad posibl rhwng *Coca-Cola* a *PepsiCo*? Beth allai'r ddau gwmni ei ddweud yw mantais cydsoddiad o'r fath i gwsmeriaid?

Masnachfreinio a thwf

Mae **masnachfreinio** yn gytundeb lle mae busnes (**breiniwr** — *franchisor*) yn caniatáu i fusnesau eraill (**y deiliaid braint** — *franchisees*) i werthu eu cynnyrch neu i ddefnyddio eu henw am ganran o'r refeniw a gynhyrchir. Mae'r busnes yn rhoi'r risgiau ariannol o sefydlu ar ysgwyddau deiliad y fasnachfraint, a gall y masnachfreiniwr dyfu'n gyflym iawn o ganlyniad. Fodd bynnag, gall y rhai sydd â masnachfraint ganfod eu bod yn gweithio'n galed iawn, tra bod y masnachfreiniwr yn gwneud y rhan fwyaf o'r elw.

Manteision defnyddio masnachfreinio fel dull o dyfu yw ei fod yn rhoi mynediad hawdd i gyfalaf ehangu gan mai deiliad y fasnachfraint fydd yn prynu'r siop ac yn darparu'r rhan fwyaf o'r cyllid. Mae'r fasnachfreiniwr hefyd yn gallu cael mynediad at bobl dalentog a brwdfrydig a fydd â diddordeb personol mewn gwneud elw.

Ymhlith yr anfanteision mae'r anawsterau wrth ddod o hyd i'r masnachfreintiau mwyaf priodol i dyfu'r busnes, yn hytrach nag ehangu trwy weithwyr y busnes ei hun. Mae mwy o berygl i ansawdd y busnes gael ei effeithio gan reoli gwael deiliad y fasnachfraint. Gallai hyn gael effaith negyddol ar dwf.

Rhesymoli

Gall **rhesymoli** gynnwys gwerthu neu gau ffatrïoedd neu wahanol rannau o fusnes a thorri costau e.e. drwy symud i leoliad rhatach neu drwy leihau lefelau staffio, neu fuddsoddi mewn peiriannau i leihau costau uned a chynyddu cynhyrchiant.

Rhesymoli Pan fydd busnes yn aildrefnu ei broses gynhyrchu er mwyn cynyddu ei gynhyrchiant a'i effeithlonrwydd.

Lleoliad/adleoliad

Cyflogau yw un o'r costau uchaf sydd gan y rhan fwyaf o fusnesau, felly gallai adleoli olygu llai o gostau wrth barhau i gynnal lefelau staffio. Er enghraifft, mae staff fel arfer yn cael eu talu mwy yng nghanol Llundain, felly gall adeoli i Birmingham arwain at arbedion ar unwaith. Fodd bynnag, gall symud staff fod yn anodd ac yn ddrud oherwydd diswyddiadau a chyflogi staff newydd. Gall hefyd arwain at golli sgiliau a all ddileu unrhyw arbedion posibl yn sgil yr adleoli.

Gall costau cludiant gael eu lleihau drwy leoli busnes yn agosach at ei gyflenwad o ddeunyddiau crai, yn enwedig os yw'r deunyddiau crai yn drwm ac yn cael eu defnyddio mewn meintiau mawr. Fel arall, gallai busnes elwa o fod yn agosach at ei gwsmeriaid posibl e.e. sinemâu, banciau neu siopau manwerthu.

Cynhyrchiant

Bydd cynyddu **lefelau cynhyrchiant** yn fuddiol i fusnes drwy leihau costau uned wrth gynnal ansawdd, sy'n gallu arwain at fantais gystadleuol a mwy o broffidioldeb yn y pen draw. Er enghraifft, yn 2017, cyhoeddodd y gwneuthurwr ceir *BMW* y bydd yr *e-Mini* newydd yn cael ei adeiladu yn y DU ar ôl barnu bod y ffatri yno yn fwy cynhyrchiol na'r rhai yn yr Almaen.

Fodd bynnag, gall y rhuthr i sicrhau cynhyrchiant uwch arwain yn aml at staff yn colli cymhelliant oherwydd targedau afresymol. Bydd hyn yn arwain at gynhyrchion o ansawdd is ac, yn y pen draw, colli cwsmeriaid. Weithiau, efallai y bydd yn rhaid i fusnes gynnig cymhellion ariannol mawr i gynyddu lefelau cynhyrchiant, a allai leihau effaith gadarnhaol rhesymoli.

Allanoli neu gynhyrchu allan

Mae **allanoli** neu gynhyrchu allan (*outsourcing*) yn golygu bod busnes yn defnyddio cyflenwyr allanol i ymgymryd â gwaith neu ran o waith busnes. Mae allanoli fel arfer yn cael ei wneud er mwyn manteisio ar sgiliau arbenigol, effeithlonrwydd cost a hyblygrwydd gweithwyr y busnes arall. Er enghraifft, mae *Apple* yn allanoli'r broses o gynhyrchu ei *iPhone* i *Foxconn* yn China.

Ymhlith manteision allanoli mae mynediad i gostau uned is, cyflenwyr a gwasanaethau arbenigol, a darbodion maint. Mae hyn yn caniatáu i'r busnes ganolbwyntio ar ei feysydd craidd ei hun a gwneud arbedion drwy beidio â gwario ar gyfleusterau cynhyrchu newydd.

Ymhlith anfanteision allanoli mae cysylltiadau gwael gyda gweithwyr a'r cyhoedd o ganlyniad i golli swyddi; y costau uwch sy'n gysylltiedig â monitro ansawdd gwaith; a'r posibilrwydd o golli gwasanaeth cwsmeriaid a chydnabyddiaeth brand gan y gallai allanoli busnesau weithio i lawer o gwsmeriaid gwahanol eraill.

Allanoli Mae busnes yn cael busnes arall i wneud ei waith ar ei ran. Mae'r ddau fusnes naill ai yn yr un wlad neu mewn gwledydd gwahanol.

Profi gwybodaeth 23

Pam y byddai busnes fel *Apple* yn penderfynu gwario $5 biliwn ar greu ei bencadlys '*Space Ship*' newydd?

Cyngor i'r arholiad

Ceisiwch beidio â meddwl am resymoli ac allanoli fel rhywbeth y mae busnes ond yn ei wneud unwaith. Mae busnesau'n aml yn rhesymoli ac yn allanoli yn rheolaidd wrth iddyn nhw dyfu.

Crynodeb

Ar ôl astudio'r pwnc hwn, dylech allu:

- deall y berthynas rhwng amcanion a strategaeth
- esbonio ystyr strategaeth, y berthynas rhwng strategaeth a thactegau, a phwrpas cynlluniau corfforaethol
- defnyddio dadansoddiad SWOT, fframwaith Pum Grym Porter a matrics Ansoff yng nghyd-destun busnes penodol
- gwerthuso strategaeth fusnes, cynlluniau corfforaethol a defnyddioldeb matrics Ansoff i fusnes
- esbonio integreiddio llorweddol a fertigol, twf organig ac allanol, gan gynnwys masnachfreinio, cydsoddiad a throsfeddiant, a'u manteision a'u hanfanteision
- gwerthuso'r dulliau gwahanol y gall busnes eu defnyddio i gyflawni twf
- esbonio beth yw ystyr rhesymoli ac allanoli a'r ffactorau sy'n effeithio ar benderfyniadau ynglŷn â lleoli/adleoli busnes
- gwerthuso effaith lleoli/adleoli a rhesymoli a'r dadleuon o blaid ac yn erbyn allanoli cynhyrchu

Modelau gwneud penderfyniadau

Mathau o benderfyniadau y mae busnes yn eu gwneud

Mae **penderfyniadau strategol** yn rhan o gynllun gweithredu tymor hir i gyflawni nodau ac amcanion busnes ac maen nhw'n cael eu gwneud fel arfer gan uwch reolwyr mewn busnes. Mae **penderfyniadau tactegol** fel arfer yn cael eu gwneud gan reolwyr canolig mewn ymateb i gyfleoedd neu fygythiadau sy'n wynebu'r busnes yn y tymor canolig. Mae penderfyniadau tactegol fel arfer yn haws eu newid na rhai strategol gan eu bod yn llai parhaol.

Mae **penderfyniadau gweithredol** yn benderfyniadau tymor byr sy'n cael eu gwneud gan reolwyr. Mae'r rhain yn syml ac yn arferol. Gallai hyn gynnwys archebu cyflenwadau yn rheolaidd neu greu rota staff.

Mae Ffigur 16 yn rhoi enghraifft o'r modd y gall gwahanol rannau o hierarchaeth busnes fod yn gyfrifol am benderfyniadau strategol, tactegol a gweithredol.

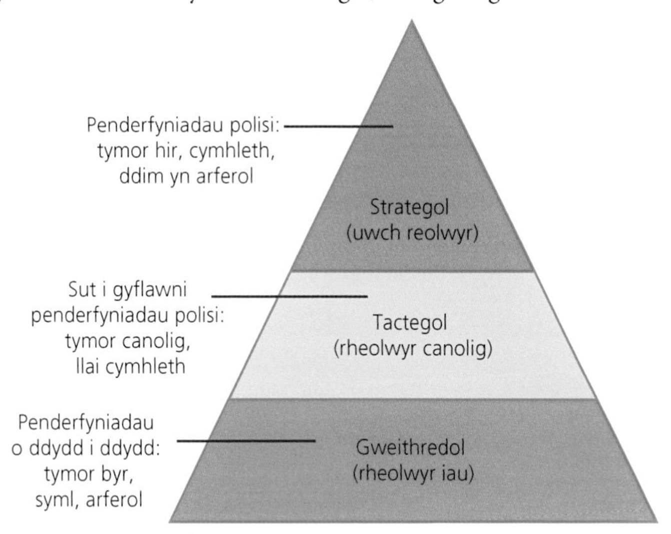

Ffigur 16 Enghreifftiau o wahanol benderfyniadau strategol, tactegol a gweithredol sy'n cael eu gwneud mewn sefydliad

Mae gwneud y penderfyniadau cywir yn bwysig i fusnes oherwydd:

- Ar ôl gwneud penderfyniad, mae'n anodd atal unrhyw brosesau sydd wedi'u dechrau e.e. cyflogi gweithwyr newydd neu brynu offer newydd.
- Gall penderfyniadau fod ag effeithiau tymor hir, e.e. llwyddiant lansio cynnyrch newydd neu lwyddiant mynediad i farchnad newydd.
- Gall penderfyniadau anghywir achosi colled ariannol ac, yn y pen draw, arwain at fethiant busnes.

I leihau'r risgiau wrth wneud penderfyniadau, mae llawer o offer a thechnegau wedi cael eu datblygu i helpu busnesau i ddadansoddi gwahanol fathau o ddata. Gellir eu rhannu'n ddau ddull:

- **Gwneud penderfyniadau sy'n seiliedig ar wyddoniaeth (neu dystiolaeth)** Mae hyn yn golygu bod busnes yn gwneud penderfyniadau strategol ar ôl dadansoddi a gwerthuso tystiolaeth berthnasol. Bydd busnesau'n gwneud defnydd llawn o ragfynegiadau gwerthiant meintiol, coed penderfyniadau a dulliau eraill sy'n helpu i feintioli unrhyw benderfyniad sy'n cael ei wneud. Gyda thwf y rhyngrwyd a dadansoddi cyfrifiadurol o symiau mawr o ddata, gall busnesau bellach awtomeiddio rhai penderfyniadau ac ymateb i newid yn gynt na'u cystadleuwyr.

- **Gwneud penderfyniadau greddfol** neu **oddrychol** Mae'r math hwn o wneud penderfyniadau yn dibynnu'n fwy ar brofiad a barn perchnogion a rheolwyr busnes. Mae fel arfer yn gofyn am ddull mwy entrepreneuraidd o gymryd risg. Er enghraifft, roedd Steve Jobs a Jonathan Ive yn enwog am wneud penderfyniadau greddfol yn *Apple*.

Coed penderfyniadau

Mae defnyddio **coeden benderfyniadau** yn ddull meintiol o wneud penderfyniadau. Mae pob penderfyniad yn cael ei fynegi fel rhif ac mae unrhyw siawns y bydd rhywbeth yn digwydd yn cael ei fynegi fel tebygolrwydd iddo ddigwydd. Mae coed penderfyniadau yn ddefnyddiol ar gyfer dadansoddi sefyllfaoedd lle mae angen dilyn cyfres o ddigwyddiadau er mwyn sicrhau canlyniad, ond mae'r canlyniad yn ansicr.

Coeden benderfyniadau Model mathemategol sy'n defnyddio amcangyfrifon a thebygolrwydd i gyfrif canlyniadau tebygol er mwyn helpu busnes i benderfynu a yw'r enillion net a ddaw o benderfyniad yn werth chweil.

Llunio diagram coeden benderfyniadau

Mae diagram coeden benderfyniadau yn edrych ychydig yn debyg i goeden ar ei hochr gyda changhennau'n adlewyrchu pob penderfyniad a'r gwahanol ganlyniadau posibl. Ar gyfer pob penderfyniad a gynigir, cofiwch fod o hyd bosibilrwydd o wneud dim yn ei le.

Mae coed penderfyniadau bob amser yn dechrau ar y chwith ac yn gwneud eu ffordd i'r dde. Mae penderfyniad yn cael ei gynyrchioli gan sgwâr, ac mae cylch yn cynrychioli'r tebygolrwydd neu'r siawns y bydd rhywbeth yn digwydd. Mae Ffigur 17 yn dangos enghraifft syml o goeden benderfyniadau:

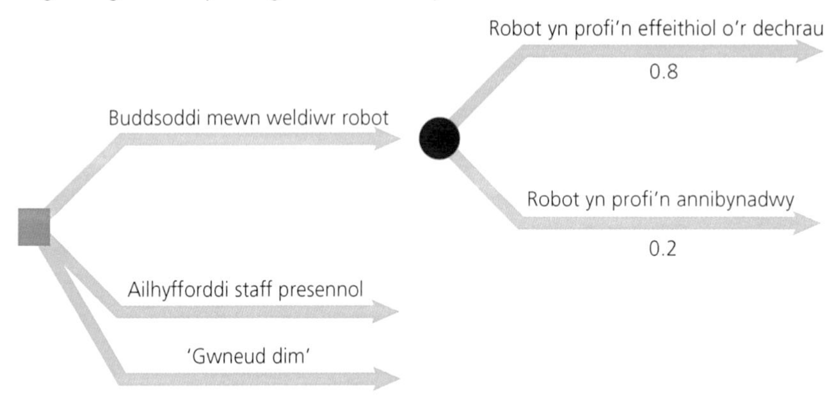

Ffigur 17 Coeden benderfyniadau syml

Er mwyn creu coeden benderfyniadau:

- Mae sgwâr yn cael ei dynnu ar y chwith i gynrychioli penderfyniad i'w wneud.
- O'r sgwâr hwn, mae llinellau'n cael eu tynnu tuag at y dde ar gyfer pob dewis posibl o ran penderfyniad. Mae'r penderfyniad hwnnw'n cael ei ysgrifennu ar hyd y llinell. Er enghraifft, yn Ffigur 17, y penderfyniadau posibl yw 'Buddsoddi mewn weldiwr robot', 'Ailhyfforddi staff presennol' neu 'Gwneud dim'
- Ar gyfer pob penderfyniad, bydd yna ganlyniadau sy'n ansicr a chaiff y rhain eu cynrychioli gan gylch. Yn Ffigur 17, mae'r cylch yn rhoi dau ganlyniad posibl i'r penderfyniad 'Buddsoddi mewn weldiwr robot'. Un o'r rhain yw bod y robot yn profi'n annibynadwy.

- Mae tebygolrwydd yn cael ei atodi i bob un o'r canlyniadau posibl, a rhaid i gyfanswm y rhain adio i 1. Mae tebygolrwydd o 1 yn golygu bod y canlyniad yn sicr o ddigwydd. Yn Ffigur 17, y tebygolrwydd y bydd y robot yn effeithiol o'r dechrau yw 0.8 neu 80%, sy'n llawer uwch na'r tebygolrwydd y bydd y robot yn annibynadwy, sef 0.2 neu 20%.
- Ar gyfer pob canlyniad, mae penderfyniad arall i'w wneud. Gan ddilyn yr enghraifft yn Ffigur 17, efallai y bydd yn rhaid i fusnes benderfynu a ddylid prynu neu hurio weldiwr robot. Mae sgwâr arall yn cael ei dynnu gyda llinellau'n cynrychioli pob penderfyniad.
- Os yw prynu'r robot yn golygu cost llif arian net o £1,000 y flwyddyn, tra bod costau hurio yn £800 y flwyddyn, efallai y byddai hurio'n well. Mae Ffigur 18 yn dangos bod y busnes wedi penderfynu hurio'r robot yn hytrach na'i brynu, felly mae'r gangen nad yw'n cael ei dewis yn cael ei dileu.

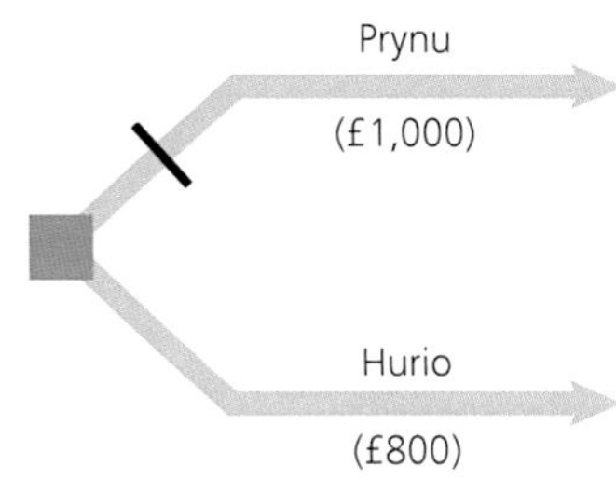

Ffigur 18 Coeden benderfyniadau enghreifftiol

Dehongli a gwerthuso coeden benderfyniadau

Yn Ffigur 18, mae busnes, sef *Slade Farm*, yn gorfod penderfynu a ddylid lansio cynnyrch newydd ai peidio. Mae ei ymchwil yn datgan mai'r tebygolrwydd o lwyddo fel canlyniad yw 0.7 neu 70%. Gan fod yn rhaid i'r tebygolrwydd bob amser adio i 1, y tebygolrwydd y byddai'r cynnyrch newydd yn methu, felly, yw 0.3 neu 30%.

Amcangyfrifon ariannol ar gyfer cost y lansiad yw £10 miliwn. Os yw'r cynnyrch yn llwyddiannus, bydd yn creu llif arian net positif o £15 miliwn. Os bydd yn methu, dim ond £3 miliwn fydd y llif arian net. Os na chaiff ei lansio, ni fydd unrhyw lif arian net.

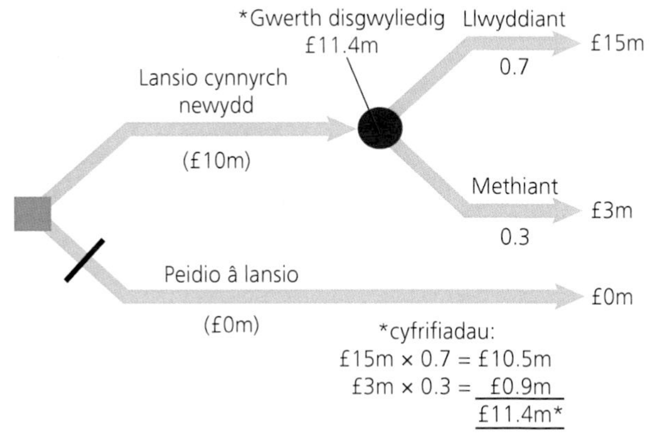

Ffigur 19 Coeden benderfyniadau *Slade Farm* ar gyfer lansio cynnyrch newydd

Ym mhob cylch, mae angen cwblhau cyfrifiad — y tebygolrwydd wedi'i luosi â'r gost ariannol neu'r incwm amcangyfrifedig. Yn Ffigur 19, er enghraifft, gallwn gyfrifo'r gost ar gyfer pob canlyniad llwyddiannus neu fethiannus fel hyn:

£15 miliwn × 0.7 = £10.5 miliwn
£3 miliwn × 0.3 = £0.9 miliwn
Cyfanswm = £11.4 miliwn

Profi gwybodaeth 24

Ar gyfer busnes sy'n ymgymryd â phrosiect enfawr fel adeiladu gorsaf bŵer niwclear am gost o £18 biliwn, pam y gallai coed penderfyniadau fod yn anodd eu defnyddio? Sut y gallai TG helpu i wella effeithiolrwydd coed penderfyniadau?

Cyngor i'r arholiad

Yn yr arholiad, bydd angen i chi allu cwblhau cyfrifiadau ar goeden benderfyniadau a adeiladwyd yn rhannol, yn ogystal â gallu gwerthuso pa opsiwn yw'r dewis gorau.

Y gwerth disgwyledig, felly, ar gyfer y cylch yn Ffigur 19 yw £11.4 miliwn, sy'n cael ei alw'n gyfartaledd pwysol. Mae hyn yn golygu y bydd *Slade Farm*, ar gyfartaledd, yn troi'r £10 miliwn o gost ar gyfer lansio'r cynnyrch newydd yn £11.4 miliwn, cynnydd net o £1.4 miliwn. Mae hyn yn well na'r penderfyniad 'Peidio â lansio', felly mae'r dewis hwnnw'n cael ei ddileu.

Dadansoddiad llwybr critigol

Dadansoddiad llwybr critigol (CPA) yw'r dechneg sy'n cael ei defnyddio i ddod o hyd i'r ffordd rataf neu gyflymaf i gwblhau tasg. Mae llwybr critigol yn gyfres o weithgareddau a fydd, os bydd oedi, yn oedi'r holl weithrediad.

Mae dadansoddiad llwybr critigol yn caniatáu i fusnes:

- amcangyfrif yr isafswm amser y dylid ei gymryd i gwblhau tasg
- gweld faint o amser y dylai'r prosiect cyfan ei gymryd
- nodi'r dyddiad cynharaf y gall camau diweddarach y dasg ddechrau
- rhagfynegi unrhyw dasgau a allai achosi oedi i gwblhau'r prosiect

Dadansoddiad llwybr critigol (CPA) Techneg sy'n cael ei defnyddio i ddod o hyd i'r ffordd rataf neu gyflymaf o gwblhau tasg.

Llunio a dehongli diagram CPA

Mae yna ddwy ran i ddiagram CPA:

- **Gweithgaredd**, sy'n rhan o brosiect sy'n gofyn am amser a/neu adnoddau. Er enghraifft, byddai aros am bartiau yn weithgaredd. Mae gweithgareddau yn cael eu dangos fel saethau sy'n rhedeg o'r chwith i'r dde (nid yw hyd y saeth yn bwysig).
- **Nodau**, sef cylchoedd sy'n cynrychioli dechrau neu ddiwedd tasg. Maen nhw wedi cael eu rhannu'n dair rhan, gyda phob un yn cynnwys rhifau. Yn yr hanner cylch ar y chwith, ysgrifennir rhif y nod, gydag 1 yn cynrychioli dechrau'r broses. Y rhif yn y cwadrant uchaf ar y dde yw'r **amser dechrau cynharaf** (*earliest starting time = EST*), yr amser cynharaf y gall y dasg ddechrau. Y rhif yn y cwadrant isaf ar y gwaelod yw'r **amser gorffen hwyraf** (*latest finishing time = LFT*), yr amser hwyraf y gall y dasg flaenorol gael ei gorffen heb oedi'r dasg nesaf.

Er mwyn creu diagram CPA:

- dylech bob amser ddechrau ar ochr chwith y dudalen a gweithio ar draws i'r dde. Rhaid i'r diagram ddechrau a gorffen ar un nod.
- Gwnewch yn siŵr bod eich nodau (cylchoedd) yn cael eu llunio'n ddigon mawr fel y gallwch nodi tair set o rifau.
- Tynnwch saethau allan o'ch nod cyntaf i gynrychioli'r gyfres gyntaf o weithgareddau sydd eu hangen i gwblhau'r dasg honno. Rhaid i bob saeth fod yn weithgaredd, ac ni ddylai'r llinellau saeth groesi ei gilydd.
- Lluniwch nod arall i gynrychioli diwedd y dasg honno, ac yna ychwanegwch fwy o saethau i gynrychioli gweithgareddau eraill ar gyfer y dasg nesaf, ac yn y blaen, tan fod y prosiect wedi'i gwblhau.
- Pan fyddwch wedi llunio gweithgaredd, peidiwch ag ychwanegu nod diwedd tan eich bod chi wedi gwirio pa dasg sydd nesaf.

Enghraifft

Mae cynhyrchydd creision yn penderfynu dyrchafiad pris '3c i ffwrdd' y mis Ionawr nesaf. Mae angen cwblhau nifer o dasgau er mwyn sicrhau bod y dyrchafiad yn rhedeg yn llyfn. Mae angen iddyn nhw gael eu gosod yn y drefn amser gywir fel y dangosir yn Ffigur 20. Mae'r diagram (neu'r rhwydwaith) hefyd yn cynnwys pa mor hir y disgwylir i bob tasg ei chymryd. Mae'r llwybr hiraf yn cymryd 70 diwrnod (14 + 28 + 21 + 7) felly bydd angen i'r gwaith ddechrau 70 diwrnod cyn mis Ionawr.

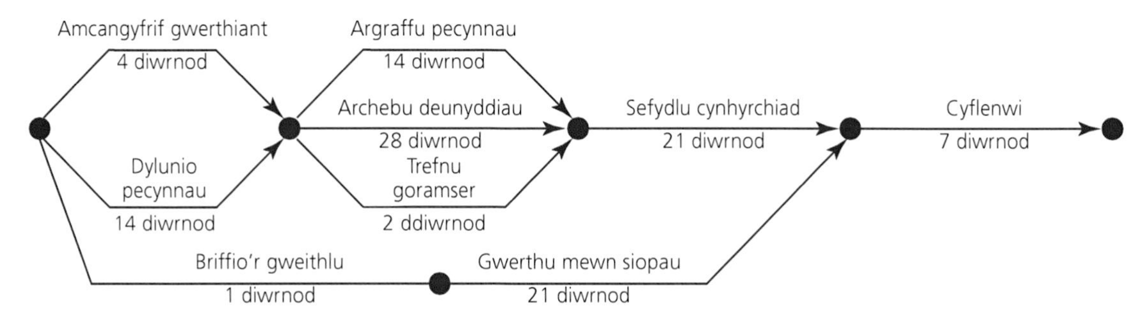

Ffigur 20 Rhwydwaith '3c i ffwrdd': gweithgareddau

Y cam nesaf yw cwblhau'r nodau gyda'r wybodaeth ynghylch pryd y gall, neu mae'n rhaid i'r gweithgareddau ddechrau a gorffen. Mae trefn y gweithgareddau yn helpu gyda hyn. Mae hyn yn cael ei ddangos ar Ffigur 21, y rhwydwaith wedi'i gwblhau.

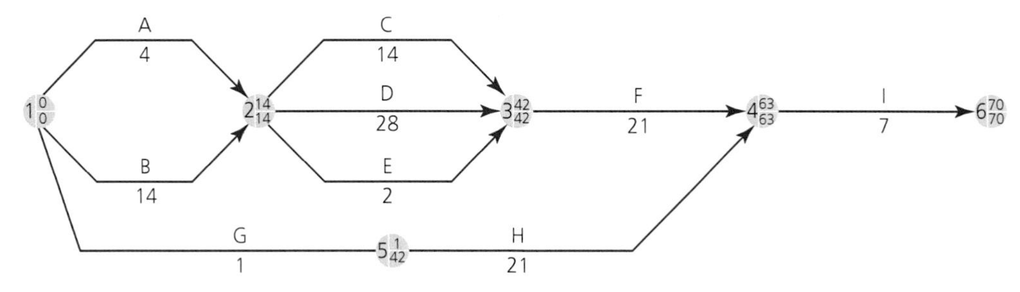

Ffigur 21 Y Rhwydwaith '3c i ffwrdd' wedi'i gwblhau

- Ar ddechrau'r prosiect, mae gan y nod cyntaf bob amser 0 yn hytrach nag 1 yn y mannau EST a LFT.
- Dim ond 14 diwrnod ar ôl dechrau'r prosiect y gall gweithgareddau C, D ac E gael eu dechrau, gan mai dyna pryd y bydd gweithgareddau A a B wedi cael eu cwblhau. Gall C, D ac E, felly, ddechrau ar ddiwrnod 0 + 14 = 14.
- Gall gweithgaredd F ddechrau ar ddiwrnod 0 + 14 + 28 = 42.
- Y cynharaf y gellir cwblhau'r prosiect, felly, yw diwrnod 0 + 14 + 28 + 21 + 7 = 70.
- Mae'r EST yn darparu'r dyddiad cynharaf y bydd adnoddau penodol ar gael erbyn, yn ogystal â'r dyddiad cwblhau cynharaf ar gyfer y prosiect cyfan. Sylwch ar y 70 yn y cwadrant uchaf ar yr ochr dde o'r nod olaf, sef nod 6, yn Ffigur 21. Mae'r nod hwn hefyd yn cynnwys y LFT fel 70 — yr amser cyflwyno derbyniol hwyraf.
- Mae'r LFT ym mhob nod yn dangos amser cwblhau hwyraf y gweithgareddau blaenorol. Er enghraifft, mae nod 5 yn dangos bod rhaid gorffen gweithgaredd G erbyn diwrnod 42 er mwyn cael digon o amser i gwblhau H ac I erbyn diwrnod 70.
- Mae'r LFT ar gyfer y gweithgareddau yn cael ei gyfrif o'r dde i'r chwith. Er enghraifft, mae Nod 4 yn dangos yr LFT ar gyfer gweithgareddau F a H, tasg 6 minws tasg 4. Byddai hyn yn 70 – 7 = 63. Mae'r LFT yn darparu'r terfynau amser y mae'n rhaid eu bodloni er mwyn cwblhau'r prosiect yn brydlon, y llwybr critgol a'r **amser arnofio**.
- Y llwybr critigol yw'r gyfres o weithgareddau sy'n cymryd yr amser hiraf ac yn penderfynu ar hyd y prosiect. Yn Ffigur 21, y rhain yw B, D, F ac I. Ni ellir gohirio'r gweithgareddau hyn o gwbl neu bydd yr holl brosiect yn dioddef oedi.
- Fodd bynnag, ar gyfer gweithgaredd C, ni fyddai oedi yn bwysig gan fod y gweithgaredd hwn yn cymryd 14 diwrnod, ond mae 28 diwrnod ar gael i'w gwblhau.

Amser arnofio Faint o amser mewn rhwydwaith CPA y gall tasg gael ei hoedi heb achosi oedi i'r tasgau canlynol, h.y. mae'n amser sbâr.

Adnabod y llwybr critigol

Drwy adnabod y llwybr critigol, gall busnes ganolbwyntio ar y tasgau sy'n wirioneddol bwysig yn hytrach na chanolbwyntio gormod o adnoddau ar y rhai nad ydyn nhw mor bwysig. O ran hyrwyddo bod gostyngiad pris o 3 ceiniog mewn pris cynnyrch penodol, yna dim ond pedair tasg allweddol sydd angen eu rheoli'n ofalus — dylunio'r pecynnau (gweithgaredd B), archebu'r deunyddiau (gweithgaredd D), sefydlu cynhyrchiad (gweithgaredd F) a chyflenwi'r pecynnau (gweithgaredd I). Mae angen llai o adnoddau a goruchwyliaeth ar gyfer y gweithgareddau eraill.

Gellir dod o hyd i'r llwybr critigol lle mae'r LFT a'r EST mewn nod yn dangos yr un amser, a dyma'r llwybr hiraf drwy'r nodau hynny. Ar ddiagram CPA, dangosir y llwybr critigol drwy lunio dwy linell fer ar draws y gweithgareddau critigol. Mae hyn yn cael ei ddangos yn Ffigur 22.

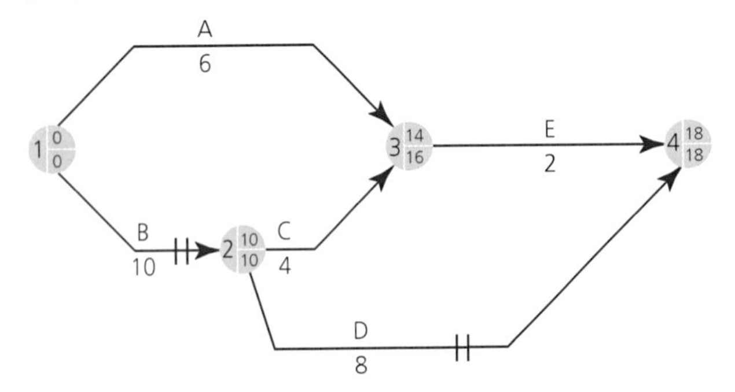

Ffigur 22 Nodi'r llwybr critigol

Profi gwybodaeth 25

Mae dadansoddiad llwybr critigol, yn benodol, yn ystyried yr amser sy'n cael ei gymryd i gwblhau prosiect. Enwch ddwy agwedd bwysig arall ar brosiect y dylai busnes eu hystyried hefyd.

Gall **amser arnofio** gael ei ddefnyddio i wrthbwyso'r adnoddau ychwanegol posibl sy'n cael eu rhoi i weithgareddau'r llwybr critigol. Mae cyfanswm yr arnofiad ar gyfer gweithgaredd yn cael ei gyfrifo drwy dynnu'r EST a'r hyd o'r LFT:

Cyfanswm yr arnofiad = LFT (y gweithgaredd hwn) – hyd – EST (y gweithgaredd hwn)

Er enghraifft, byddai cyfanswm yr arnofiad ar gyfer gweithgaredd A yn Ffigur 22 yn cael ei gyfrifo fel:

cyfanswm yr arnofiad (A) = 16 – 6 – 0

= 10

Ar gyfer gweithgareddau llwybr critigol, ni fydd unrhyw arnofiad neu amser sbâr. Er enghraifft, byddai cyfanswm yr arnofiad ar gyfer gweithgaredd D yn cael ei gyfrifo fel hyn:

cyfanswm yr arnofiad (D) = 18 – 8 – 10

= 0

Yna, gall y busnes weld pa dasgau sydd angen llawer o adnoddau ar adegau penodol i'w cwblhau. Gall hefyd weld pa dasgau y gellir naill ai eu hoedi, cymryd mwy o amser, neu angen llai o adnoddau i'w cwblhau.

Cyngor i'r arholiad

Efallai y bydd angen i chi gwblhau diagram CPA a fydd yn cael ei ddarparu mewn cwestiwn arholiad, neu wneud newidiadau i ddiagram sy'n bodoli eisoes. Mae angen i chi allu adnabod a labelu'r llwybr critigol a chyfanswm yr arnofiad, a gallu gwerthuso defnyddioldeb y dull hwn i fusnes.

Dadansoddiad cost a a budd (*CBA*)

Mae **dadansoddiad cost a budd (*Cost Benefit Analysis* = CBA)** yn edrych ar ystod eang o gostau a buddion ac yn rhoi gwerth iddyn nhw:

- Costau preifat yw costau'r busnes sy'n gwneud y buddsoddiad, fel hyfforddiant, prynu cyfarpar newydd neu farchnata.
- Buddion preifat yw'r hyn y mae'r busnes yn disgwyl eu cael o'r buddsoddiad, fel cynnydd mewn cynhyrchiant, gwerthiant neu elw.
- Costau cyhoeddus yw'r costau sy'n cael eu hysgwyddo gan bobl y tu allan i'r busnes sy'n gwneud y buddsoddiad, fel llygredd sŵn a mwy o draffig yn sgil creu ffatri newydd.
- Buddion cyhoeddus yw'r hyn y gall pobl y tu allan i'r busnes sy'n gwneud y buddsoddiad eu hennill, fel swyddi newydd, mwy o wariant gan ddefnyddwyr, a mwy o refeniw treth.

Mae costau a buddion preifat yn gymharol hawdd i'w mesur. Mae'n anoddach nodi buddion cyhoeddus, ond mae angen rhoi pris ar bob elfen er mwyn sicrhau bod y dadansoddiad cost a budd (CBA) mor realistig â phosibl.

Mae ased anghyffwrddadwy (*intangible asset*) yn elfen arall y mae'n rhaid rhoi gwerth arni. Gall mesur asedau anghyffwrddadwy fod yn anodd. Er enghraifft, pan fydd busnes yn pwyso a mesur costau a buddion lansio cynnyrch newydd, mae'n gymharol hawdd cyfrifo costau datblygu, cynhyrchu a marchnata'r cynnyrch newydd, ynghyd â rhagfynegiadau o'r refeniw gwerthu o ganlyniad i lansiad llwyddiannus. Fodd bynnag, mae angen hefyd ystyried pethau anniriaethol, fel y risg o gynnyrch yn methu â gwerthu, neu rywbeth sy'n effeithio ar ddelwedd brand y busnes mewn ffordd negyddol.

Cynnal dadansoddiad cost a budd (CBA)

Er mwyn cynnal CBA, mae angen dilyn nifer o gamau:

- Nodi'r holl gostau a buddion sy'n deillio o'r buddsoddiad yn y prosiect. Gall costau a buddion allanol gael eu hanwybyddu os yw'r buddsoddiad y mae'r busnes yn ystyried ei wneud yn isel ei effaith, er y bydd angen nodi'r pethau anniriaethol.
- Trosi'r holl gostau a buddion, gan gynnwys pethau anniriaethol, yn werth ariannol.
- Cymhwyso rhyw ddull o ddadansoddi tebygolrwydd, fel dadansoddi coed penderfyniadau, er mwyn ystyried y buddion a'r costau yn drefnus.
- Ystyried amseriad pob cost a budd, er enghraifft mae budd o £15,000 nawr yn werth llawer mwy na budd o £15,000 ymhen 10 mlynedd.
- Os yw'r buddion yn fwy na'r costau, gellir dweud bod y prosiect yn un i'w fabwysiadu. Fodd bynnag, efallai y bydd gan y busnes nifer o wahanol brosiectau i'w cymharu, a gallai prosiect arall fod o fwy o fudd.

Dadansoddiad cost a budd (CBA) Dull o fesur dichonoldeb ariannol (*financial feasability*) prosiect drwy fesur costau a buddion, gan gynnwys costau a buddion allanol.

Manteision ac anfanteision defnyddio modelau gwneud penderfyniadau

Mae Tabl 10 yn dangos manteision ac anfanteision defnyddio coed penderfyniadau, dadansoddiad llwybr critigol a dadansoddiad cost a budd.

Tabl 10 Manteision ac anfanteision defnyddio coed penderfyniadau, dadansoddiad llwybr critigol a dadansoddiad cost a budd

Model gwneud penderfyniadau	Manteision	Anfanteision
Coed penderfyniadau	■ Mae'r dewisiadau wedi'u nodi'n rhesymegol ■ Caiff yr holl ddewisiadau a dewisiadau posibl eu hystyried ar yr un pryd ■ Mae risg yn cael sylw trwy'r defnydd o debygolrwydd, mae costau yn cael eu hystyried a chanlyniadau meintiol yn cael eu cynhyrchu	■ Amcangyfrifon yn unig yw'r tebygolrwydd, a gallan nhw fod yn anghywir gan y gallai fod yn anodd cael data cywir. ■ Mae'r dull hwn yn anwybyddu agweddau ansoddol ar y broses gwneud penderfyniadau ■ Mae perygl o duedd (*bias*) gyda'r dechneg hon. Nid yw o anghenrhaid yn lleihau'r risg o wneud unrhyw benderfyniad.
Dadansoddiad llwybr critigol (*CPA*)	■ Mae'n annog asesiad gofalus o bob gweithgaredd mewn prosiect ■ Mae'n adnabod gweithgareddau lle mae adnoddau'n hafnodol a'r rhai lle mae adnoddau'n llai hanfodol. ■ Gall roi trosolwg i'r busnes o brosiect cymhleth ■ Mae'n cysylltu'n dda ag agweddau eraill ar gynllunio busnes, fel rhagfynegi llif arian a chyllidebu; mae'n helpu i leihau risgiau a gall gwtogi'r amser y mae prosiect yn ei gymryd	■ Mae'n dibynnu, i raddau helaeth, ar amcangyfrifon a thybiaethau a all fod yn anghywir ■ Nid yw'n gwarantu llwyddiant gan y bydd dal angen rheoli'r prosiect yn dda ■ Efallai na fydd gweithgareddau mor hyblyg ag y mae'r amser arnofio yn dangos ■ Gall diagramau fynd yn rhy gymhleth, gan arwain o bosibl at wallau a diffyg eglurder
Dadansoddiad cost a budd (*CBA*)	■ Mae'r broses yn symleiddio penderfyniadau busnes cymhleth drwy ddefnyddio budd ariannol net ar gyfer pob prosiect er mwyn eu cymharu'n hawdd ■ Mae cymharu buddion yn arwain at ddull gwrthrychol, gan wneud dadansoddi'n llai goddrychol ac yn llai tueddol i ragfarn ■ Gellir atodi nodau'r buddion a amcangyfrifwyd fel eu bod yn dod yn darged i'w gyflawni, fel lefel y refeniw sydd ei angen i fantoli'r gyllideb	■ Mae rhoi gwerth ar bethau anniriaethol yn anodd ac, yn aml, mae'n seiliedig ar ddyfarniadau gwerth a allai fod yn hynod oddrychol ■ Gall costau cyhoeddus gwmpasu amrywiaeth eang o faterion a allai fod o fudd neu gost go iawn, neu ddim. ■ Gall gwerth ariannol y buddion a'r costau ar gyfer prosiectau tymor hir fod yn anodd eu cyfrif oherwydd ansicrwydd fel chwyddiant a pherfformiad yr economi

Swyddogaeth technoleg gwybodaeth wrth wneud penderfyniadau busnes

Mae technoleg gwybodaeth (TG) yn chwarae rhan bwysig yn y broses o wneud penderfyniadau oherwydd yr hyn y gall ei wneud, fel:

- **Casglu symiau enfawr o ddata busnes** a fyddai, fel arall, yn cymryd llawer o amser ac yn ddrud i'w gasglu e.e. gwybodaeth ar y pwynt gwerthu, costau ynni a thraffig gwefannau.
- **Cyfuno llawer o wahanol fathau o wybodaeth** fel data gwerthiant a data ariannol a gwneud cymariaethau, gan gyflwyno'r wybodaeth mewn fformat sy'n hawdd ei ddeall (e.e. graffiau a siartiau).

- **Cyflawni cyfrifiadau cymhleth** ar lawer o wahanol fathau o ddata a chyflwyno'r busnes â rhagfynegiadau amrywiol ar gyfer gwerthiant, refeniw a chostau. Bydd yn cynorthwyo'r broses o wneud penderfyniadau.
- **Casglu data ar farn cwsmeriaid** er mwyn rhoi darlun o ba mor dda mae'r busnes yn perfformio a beth sydd angen ei wella er mwyn gwella boddhad cwsmeriaid a gwerthiant yn y pen draw.
- **Cyfuno gwybodaeth mewn amser go iawn** ar draws nifer o leoliadau ac yn fyd-eang. Mae hyn yn galluogi busnesau fel *Tesco* i allu cyfuno rhagfynegiadau tywydd a data ar wariant cwsmeriaid. Gwneir hyn er mwyn canfod tuedd ar gyfer rhai cynhyrchion, fel hufen iâ mewn tywydd poeth, ac archebu mwy o stoc i ateb y galw cynyddol.

Fodd bynnag, y broblem gyda hyn yw maint y data a gesglir a'r risg y bydd busnes yn colli rhywfaint o'i greadigrwydd drwy lynu'n rhy gaeth at ragfynegiadau cyfrifiadurol.

Crynodeb

Ar ôl astudio'r pwnc hwn, dylech allu:

- esbonio'r mathau o benderfyniadau a wneir gan fusnes a phwysigrwydd gwneud penderfyniadau
- deall y gall offer gwneud penderfyniadau fod yn wyddonol neu reddfol
- esbonio pwrpas coed penderfyniadau, dadansoddiad llwybr critigol a dadansoddiad cost a budd, a manteision a chyfyngiadau pob techneg
- adeiladu coed penderfyniadau a chwblhau diagramau dadansoddiad llwybr critigol, a dehongli a gwerthuso'r canlyniadau
- cynnal dadansoddiad cost a budd, a dehongli a gwerthuso'r canlyniadau
- gwerthuso manteision ac anfanteision defnyddio coed penderfyniadau, dadansoddiad llwybr critigol a dadansoddiad cost a budd yn y broses o wneud penderfyniadau busnes
- esbonio swyddogaeth technoleg gwybodaeth yn y broses o wneud penderfyniadau busnes.

Gwerthuso buddsoddiad

Mae **gwerthuso buddsoddi** yn broses a ddefnyddir i benderfynu a yw arian sy'n cael ei roi i fusnes ar gyfer buddsoddi yn debygol o greu elw. Defnyddir dulliau amrywiol ac mae angen rhagfynegiad llif arian ar bob un ohonyn nhw er mwyn dangos y buddsoddiad dros amser a'r adenillion a ragwelir ar y buddsoddiad.

Pwrpas gwerthuso buddsoddiad yw asesu pa mor ddeniadol yw buddsoddiad posibl mewn termau mesuradwy er mwyn lleihau'r risgiau sydd mewn gweithredu mewn modd priodol. Mae deall y risgiau yn dibynnu ar ddadansoddi'r rhagfynegiadau llif arian, sy'n helpu i:

- asesu dichonoldeb cyffredinol cynnal prosiect
- ystyried dulliau eraill fel ymgymryd â phrosiectau eraill neu adael yr arian mewn banc i ennyn diddordeb
- dangos faint o fuddsoddiad sydd ei angen er mwyn i'r prosiect fod yn llwyddiannus, gan ddangos i ddarpar fuddsoddwyr y cyfraddau adenillion tebygol a'r risgiau.

Ad-daliad

Mae **ad-daliad** neu'r **cyfnod ad-dalu** yn cyfeirio at faint o amser y mae'n ei gymryd i fusnes adennill y swm dechreuol a fuddsoddwyd. Mae'n cael ei alw, fel arfer, yn 'gyfnod ad-dalu'.

Cymerwch yr enghraifft o fusnes yn ystyried prynu peiriant i wneud *widgets*. Bydd angen iddo fuddsoddi £500,000 a bydd am wybod pa mor gyflym y caiff ei fuddsoddiad ei ad-dalu. Yn ôl y rhagfynegiad llif arian net yn Nhabl 11, bydd yr ad-daliad ar y buddsoddiad yn y peiriant yn cael ei ad-dalu erbyn diwedd blwyddyn 4. Mae'r incwm cronnol ar ddiwedd blwyddyn 4 yn dangos llif arian cadarnhaol o £500,000.

Tabl 11 Llif arian net a ragwelir o beiriant creu *widget* newydd.

Blwyddyn	Incwm a gynhyrchir	Incwm cronnol a gynhyrchir (£)
1	100,000	100,000
2	125,000	225,00
3	125,000	350,000
4	150,000	500,000
5	180,000	680,000

Os yw'r llif arian net blynyddol yn gyson dros amser, gellir defnyddio'r fformiwla ganlynol i gyfrifo'r cyfnod ad-dalu ar gyfer buddsoddiad:

$$\textbf{Ad-daliad} = \frac{\text{swm a fuddsoddwyd}}{\text{arian net fesul cyfnod amser}}$$

Felly, os yw'r peiriant *widget* newydd yn costio £500,000 a'r llif arian net ar gyfer y peiriant newydd yw £100,000 y flwyddyn, yr ad-daliad fyddai:

$$\text{ad-daliad am beiriant } \textit{widget} = \frac{£500{,}000}{£100{,}000} = 5 \text{ mlynedd}$$

Lle mae llif arian net yn amrywio dros amser, gellir defnyddio'r fformiwla ganlynol i gyfrifo faint o fisoedd y bydd yn ei gymryd i ad-dalu'r buddsoddiad:

$$\textbf{Ad-daliad} = \frac{\text{buddsoddiad sy'n ddyledus}}{\text{arian misol ym mlwyddyn yr ad-daliad}}$$

Er enghraifft, mae Tabl 12 yn dangos rhagfynegiad llif arian ar gyfer peiriant a fydd yn costio £40,000

Tabl 12 Dod o hyd i'r cyfnod ad-dalu

Buddsoddiad	Arian i mewn (£)	Arian allan (£)	Llif arian net (£)	Llif arian cronnol (£)
Buddsoddiad	—	40,000	(40,000)	(40,000)
Blwyddyn 1	20,000	5,000	15,000	(25,000)
Blwyddyn 2	30,000	10,000	20,000	(5,000)
Blwyddyn 3	36,000	24,000	12,000	7,000

Er mwyn gweithio allan pryd yn union y bydd yr ad-daliad yn debygol o ddigwydd ym mlwyddyn 3, y cyfrifiad yw:

$$\text{llif arian net misol ym mlwyddyn 3} = \frac{£12{,}000}{12 \text{ mis}} = £1{,}000 \text{ y mis}$$

$$\text{ad-daliad} = \frac{£5{,}000}{£1{,}000} = 5 \text{ mis}$$

Ad-daliad Faint o amser y mae'n ei gymryd i fusnes adennill y swm dechreuol a fuddsoddwyd.

Profi gwybodaeth 26

Pa gwestiwn syml iawn y mae ad-daliad yn ei ateb ar gyfer busnes/buddsoddwr?

Bydd y buddsoddiad o £40,000 ar gyfer y peiriant, felly, yn cael ei ad-dalu mewn dwy flynedd a phum mis.

Mae ad-daliad yn darogan pryd y bydd buddsoddiad yn cael ei ad-dalu ac, yn bwysicach, y pwynt lle bydd y busnes yn dechrau gwneud elw ar ei fuddsoddiad. Gall y buddsoddiadau gorau fod yn rhai â chyfnod ad-dalu byr, gan fod hyn yn gostwng y risg, a gall busnesau ddefnyddio ad-daliad i gymharu nifer o opsiynau posibl ac yna dewis y buddsoddiad gyda'r ad-daliad cyflymaf. Fel arall, efallai y bydd rhai busnesau ond yn buddsoddi os yw'r ad-daliad yn digwydd o fewn y cyfnod hwyaf e.e. 24 mis.

Profi gwybodaeth 27

Pam y mae ad-daliad yn gweithredu fel *reality check* ar gyfer gwerthusiad o fuddsoddiad?

Cyfradd adennill gyfartalog (*ARR*)

Y fformiwla a ddefnyddir i gyfrifo **cyfradd adennill gyfartalog (*Average Rate of Return* = ARR)** yw:

$$\textbf{cyfradd adennill gyfartalog} = \frac{\text{elw blynyddol cyfartalog}}{\text{gwariant dechreuol}} \times 100$$

Er enghraifft, os yw busnes adeiladu am ystyried ei gyfradd adennill gyfartalog ar fuddsoddiad o £2 miliwn, a'i elw net am bum mlynedd y prosiect yw £1,350,000, byddai'r cyfrifiad fel hyn:

$$\text{elw net cyfartalog fesul blwyddyn} = \frac{£1,350,000}{5} = £270,000$$

$$\text{cyfradd adennill gyfartalog} = \frac{£270,000}{£2,000,000} \times 100 = 13.5\%$$

Defnyddir cyfradd adennill gyfartalog i gymharu prosiectau posibl, a dylai dehongli ffigurau cyfradd adennill gyfartalog ystyried y risg a'r cyfnod o amser y rhagwelir y bydd yr adennill yn digwydd. Er enghraifft, efallai mai'r buddsoddiad lleiaf peryglus ar gyfer y busnes adeiladu fydd rhoi ei arian mewn cyfrif blaendal banc, ond dim ond 2% fyddai'r gyfradd adennill gyfartalog ar fuddsoddiad o'r fath. Y gyfradd adennill gyfartalog ar brosiect adeiladu, fodd bynnag, yw 13.5%. Y gwahaniaeth rhwng cadw'r arian mewn cyfrif cadw neu fuddsoddi'r arian mewn prosiect adeiladu fyddai 11.5% y flwyddyn.

Cyfradd adennill gyfartalog (ARR) Yr adenillion blynyddol cyfartalog ar fuddsoddiad ar gyfer prosiect wedi'i fynegi fel canran.

Llif arian gostyngol a'r gwerth presennol net

Yn wahanol i gyfradd adennill gyfartalog ac adaliad, mae **llif arian gostyngol (*Discounted Cash Flow* = DCF)** yn ystyried yr elw a ddaw o fuddsoddiad a'r amser a gymerir i gyflawni'r adennill.

Er enghraifft, bydd £100 sydd wedi'i roi mewn cyfrif banc am 12 mis ar gyfradd llog o 10% yn rhoi £100 o elw a £10 ychwanegol ar ddiwedd y flwyddyn gyntaf. O ystyried hyn o safbwynt arall, bydd £100 yn werth 10% yn llai ymhen 12 mis os nad yw'n cael ei fuddsoddi — y gwerth gostyngol. Mae llif arian gostyngol yn helpu i ddangos cost cyfle arian, sy'n cael ei alw weithiau'n 'werth amser arian'. Bydd hyn yn dangos beth yw gwerth yr arian yn nhermau heddiw, sy'n cael ei alw'n **werth presennol net**.

Er mwyn cyfrifo'r llif arian gostyngol, bydd angen i chi wybod y cyfnod amser ar gyfer y prosiect cyfan a'r gyfradd llog debygol. Gallai'r gyfradd llog fod yn gyfradd llog gyfredol neu gall fod y gyfradd adennill isaf sydd ei hangen ar y buddsoddwr.

Llif arian gostyngol (DCF) Y broses o gyfrifo gwerth presennol llifoedd arian buddsoddiad yn y dyfodol er mwyn dod i werth cyfredol y buddsoddiad, sy'n cael ei alw'n werth presennol net.

Gwerth presennol net (*Net Present Value* = NPV) Gwerth presennol yr holl arian sy'n dod i mewn gan brosiect yn y dyfodol wedi'i osod yn erbyn yr arian a fuddsoddir heddiw.

Er enghraifft, os yw busnes yn ystyried a ddylai fuddsoddi naill ai ym mhrosiect A neu brosiect B, fel sy'n cael ei ddangos yn Nhabl 13, gellir sefydlu'r gwerth presennol net i benderfynu pa brosiect yw'r buddsoddiad gorau.

Tabl 13 Gwerth presennol net prosiect A yn erbyn prosiect B

	Prosiect A				Prosiect B		
Blwyddyn	**Llif arian net (£)**	**Ffactor disgownt**	**Gwerth presennol (£)**		**Llif arian net (£)**	**Ffactor disgownt**	**Gwerth presennol (£)**
0	(250,000)	1.00	(250,000)		(250,000)	1.00	(250,000)
1	+50,000	0.91	45,500		+200,000	0.91	+182,000
2	+100,000	0.83	83,000		+100,000	0.83	+83,000
3	+200,000	0.75	150,000		+50,000	0.75	+37,500
		NPV =	+£28,500			**NPV=**	+52,500

Mae angen buddsoddiad o £250,000 ar y ddau brosiect, a rhagwelir y bydd y gyfradd llog yn 10% dros oes pob prosiect. Mae ganddyn nhw hefyd yr un costau ac yn gwneud yr un arian dros y prosiect cyfan. Fodd bynnag, yn Nhabl 13, mae'r gwerth presennol net yn dangos bod gwahaniaeth mawr yn yr adenillion buddsoddi, gyda phrosiect B yn rhoi mwy o adenillion yn y blynyddoedd cynnar a mwy o werth presennol na phrosiect A.

Mae'r gwerth presennol net yn rhoi darlun mwy realistig o unrhyw fuddsoddiad, gan ei fod yn tynnu sylw at werth yr adenilliad yn nhermau heddiw. Gellir defnyddio gwahanol gyfraddau llog i adlewyrchu disgwyliadau buddsoddwyr gwahanol. Ar ôl defnyddio ffactorau disgownt, gallai'r gwerth net presennol fod yn gadarnhaol, a allai awgrymu ei fod yn fuddsoddiad gwerth chweil. Gallai hefyd fod yn negyddol; os felly, dylid gwrthod y buddsoddiad.

Manteision ac anfanteision dulliau o werthuso buddsoddiad

Mae Tabl 14 yn dangos manteision ac anfanteision defnyddio ad-daliad, y gyfradd adennill gyfartalog a'r gwerth presennol net.

Tabl 14 Manteision ac anfanteision gwahanol ddulliau o werthuso buddsoddiad

Dull o werthuso buddsoddiad	Manteision	Anfanteision
Ad-daliad	■ Mae'n syml i'w ddefnyddio ac yn hawdd i'w ddehongli ■ Mae'n canolbwyntio ar arian sy'n bwysig i lwyddiant bob dydd busnes ■ Mae cymharu buddsoddiadau cystadleuol pan fydd adnoddau'n brin yn hawdd, yn ogystal â chost cyfle pob buddsoddiad.	■ Efallai y bydd yn annog meddwl tymor byr am y buddsoddiad ■ Mae'n anwybyddu'r agweddau ansoddol ar benderfyniad, fel pa opsiwn sy'n diwallu anghenion cwsmeriaid orau. ■ Mae'n anwybyddu llif arian ar ôl i ad-daliad gael ei gwblhau ac felly ni ellir ei ddefnyddio ar ei ben ei hun i wneud penderfyniad am y buddsoddiad

Cyfradd adennill gyfartalog	■ Mae'n defnyddio'r holl lifoedd arian dros oes y prosiect ■ Mae'n canolbwyntio ar broffidioldeb ■ Mae'n hawdd cymharu adenillion ar ystod o wahanol fuddsoddiadau, sy'n cynorthwyo'r broses o wneud penderfyniadau	■ Gall y llifoedd arian a ragwelir fod yn anghywir a bydd hynny'n effeithio ar yr union gyfradd adennill gyfartalog ■ Mae'n anwybyddu amseriad y llifoedd arian a allai fod yn gadarnhaol dim ond tuag at ddiwedd y buddsoddiad ■ Mae'n anwybyddu cost cyfle, gan nad yw'n ystyried yr amser sydd ei angen i elwa ar y buddsoddiad
Gwerth presennol net	■ Mae'n ystyried cost cyfle'r arian ■ Mae'n ystyried amseriadau a symiau'r llif arian ■ Gellir ei ddefnyddio i ystyried gwahanol senarios buddsoddi o ran cyfraddau llog	■ Mae'r cyfrifiad yn gymhleth, felly mae'n anodd cyfathrebu â buddsoddwyr ■ Gellir camddeall y canlyniadau ■ Dim ond os yw'r buddsoddiad dechreuol yr un fath y gellir cymharu prosiectau

Gwerthuso ymarferoldeb opsiynau buddsoddi

Mae'r tri dull gwerthuso buddsoddiad yn seiliedig ar ragfynegiadau llif arian, a all fod yn anghywir ac felly effeithio ar ddibynadwyedd y broses werthuso wrth asesu buddsoddiad posibl. Po fwyaf tymor hir yw'r rhagfynegiadau, y mwyaf yw'r risg o ddata anghywir, ac felly y mwyaf annibynadwy fydd y broses werthuso.

Mae angen ystyried ffactorau eraill hefyd, fel amcanion corfforaethol, sefyllfa ariannol y busnes ac a yw cyfrifoldebau cymdeithasol a moesegol y busnes yn cael eu hadlewyrchu mewn prosiect posibl. Mae angen ystyried risgiau ac ansicrwydd pob prosiect hefyd.

Cyngor i'r arholiad

Mae cyfrifiadau gwerthuso buddsoddiad yn codi'n rheolaidd mewn arholiadau — ymarferwch nhw sawl gwaith a gwnewch yn siŵr eich bod yn gallu dehongli eich atebion.

Profi gwybodaeth 28

Pam y mae gan werthusiad o fuddsoddiad lai o werth i fusnes y mae ei amcanion corfforaethol yn canolbwyntio'n drwm ar fod yn ecogyfeillgar?

Crynodeb

Ar ôl astudio'r pwnc hwn, dylech allu:

- esbonio beth a olygir gan werthuso buddsoddiad a'i ddiben
- cyfrifo a dehongli gwerthuso buddsoddiad, ad-daliad a chyfradd adennill gyfartalog
- defnyddio llif arian gostyngol i gyfrifo a rhyngosod gwerth presennol net buddsoddiad
- gwerthuso manteision ac anfanteision y gwahanol ddulliau o werthuso buddsoddiad i fusnes a'i randdeiliaid
- gwerthuso ymarferoldeb opsiynau buddsoddi, gan ystyried ffactorau meintiol ac ansoddol

Archebion arbennig

Archebion arbennig yw pan mae angen i fusnes benderfynu a ddylai dderbyn archeb gan gwsmer ar delerau arbennig. Fel arfer, gallai hwn fod yn archeb fawr gan fusnes manwerthu fel *Next* sy'n chwilio am bris isel neu amrywiad penodol ar broses weithgynhyrchu'r busnes.

Mae derbyn archebion arbennig yn dibynnu ar amrywiaeth o ffactorau, ond y prif fater yw a fydd costau cynhyrchu yn cael eu cynnwys yn y swm a delir. Y gost fesul uned y mae'r cwsmer yn fodlon ei thalu a fydd yn penderfynu hyn.

Mae'n annhebygol y bydd costau sefydlog y busnes yn ffactor gan y bydd peiriannau, er enghraifft, eisoes wedi cael eu prynu. Mae penderfynu derbyn archebion arbennig, felly, yn ymwneud â'r canlynol:

- mae'r archeb yn cynyddu lefelau costau amrywiol y busnes
- gall y cwmni ailwerthu'r cynhyrchion
- gall yr archeb arwain at werthiant yn y dyfodol

Er mwyn asesu a yw costau cynhyrchu'r archeb arbennig yn werth chweil, bydd yn rhaid i fusnes ystyried cyfraniad y cynnyrch. Mae cyfraniad yn cyfeirio at y gwarged a wneir ar bob cynnyrch a werthir gan y busnes, ac mae'n dangos faint o gynhyrchion sydd angen eu gwerthu i dalu am y costau gweithredu sefydlog.

Archeb arbennig Archeb untro y mae cwsmer yn gofyn amdani.

Cyfrifo'r cyfraniad ar archeb arbennig

Gall **cyfraniad** gael ei gyfrifo fel hyn:

cyfraniad = pris gwerthu – costau newidiol fesul uned

Cyfraniad Y gwahaniaeth rhwng y pris gwerthu a chostau newidiol y broses weithgynhyrchu.

Gan ddefnyddio busnes teclynnau fel enghraifft, mae cwsmer wedi gofyn a yw'n gallu cyflwyno archeb arbennig o 4,000 dril y flwyddyn, ac mae'n fodlon talu £85 am bob un. Bydd angen i'r busnes teclynnau wario £10,000 ychwanegol ar sefydlu'r broses weithgynhyrchu ar gyfer yr archeb arbennig hon.

Costau sefydlog y gweithgynhyrchu yw £420,000 a'r costau uned fesul dril yw:

- Deunyddiau: £25 yr uned
- Llafur uniongyrchol: £28 yr uned
- Costau newidiol eraill: £12 yr uned

Mae'r busnes teclynnau fel arfer yn gwerthu ei ddriliau am £120, a gall weithgynhyrchu 20,000 o ddriliau bob blwyddyn ar gapasiti o 80%. Y cyfraniad presennol yw:

cyfraniad = £120 – (£25 + £28 + £12) = £55 yr uned

Y pwynt adennill costau yw:

$$\textbf{adennill costau} = \frac{\text{costau sefydlog}}{\text{cyfraniad fesul uned}}$$

$$\text{adennill costau} = \frac{£420{,}000}{£55} = 7{,}637 \text{ uned (wedi'u talgrynnu)}$$

Swm y refeniw gwerthiant sydd ei angen ar hyn o bryd i adennill costau yw:

7,637 uned × £120 = £916,440

Profi gwybodaeth 29

Beth fyddai'n digwydd i gyfraniad fesul uned os bydd y pris gwerthu'n codi?

Wrth i'r busnes teclynnau gynhyrchu 20,000 uned y flwyddyn, y refeniw gwerthiant presennol yw:

20,000 uned × £120 = £2,400,000

Mae hyn yn golygu bod y busnes teclynnau, ar 20,000 uned, yn cyflawni elw o:

elw = cyfanswm refeniw – cyfanswm y costau

elw = £2,400,000 – (£420,000 costau sefydlog + £1,300,000 (20,000 × £65 costau newidiol))

= £680,000

Mae hyn bellach yn ein galluogi i gyfrifo manylion yr archeb arbennig a chymharu'r ffigurau fel hyn:

cyfraniad uned archeb arbennig = £85 pris – £65 costau newidiol = £20 cyfanswm

cyfraniad fesul uned = 4,000 × £20 = £80,000

Y cyfanswm elw o'r archeb arbennig, felly, yw:

£80,000 – £10,000 costau sefydlu ychwanegol ar gyfer yr archeb = £70,000

Cynghori a ddylid derbyn archeb arbennig

Gyda'r busnes teclynnau, creodd yr archeb arbennig gyfanswm o £70,000 mewn elw. Y rheswm am hyn oedd oherwydd bod y costau sefydlog eisoes wedi'u cynnwys yn y lefel gynhyrchu arferol — y refeniw adennill a oedd ei angen oedd £914,000 ac roedd y refeniw gwerthiant arferol ymhell uwchlaw hyn ar £2,400,000.

O safbwynt ariannol pur, mae'r pris archeb arbennig is o £85 y dril yn cynhyrchu elw iach i'r busnes. Byddai'n ymddangos yn ddoeth iddo dderbyn yr archeb arbennig, felly.

Fodd bynnag, efallai na fydd hyn yn wir mewn sefyllfaoedd eraill, ac mae yna amrywiaeth o **ffactorau sydd heb fod yn ariannol** y mae'n rhaid i fusnes eu hystyried cyn penderfynu derbyn archeb arbennig, gan gynnwys:

- A fydd yr archeb arbennig yn arwain at werthiant yn y dyfodol a all wneud cyfraniad cadarnhaol i elw'r busnes?
- Ai'r archeb arbennig yw'r ffordd orau o ddefnyddio unrhyw gapasiti sbâr? Yn enghraifft y busnes teclynnau, dywedwyd bod gan y ffatri 20% o'i defnydd posibl o gapasiti o hyd. Er y gall archeb arbennig wneud colled, a yw'n llai o golled na pheidio â defnyddio'r capasiti sbâr? Neu a yw defnyddio'r capasiti sbâr yn effeithio ar gynlluniau tymor hir y busnes?
- A fydd y pris gwerthu is yn cael effaith ganlyniadol ar gwsmeriaid eraill sydd bellach am gael pris uned is am eu harchebion hefyd? Mae'n ymddangos bod y busnes teclynnau eisoes yn gwneud elw gweddol iach, felly gallai hyn fod yn ffactor allweddol o ran a ddylid derbyn yr archeb arbennig.
- A oes yna unrhyw gontractau eraill sy'n fwy proffidiol?

Cyngor i'r arholiad

Ceisiwch beidio â chael eich dal gan y gred mai dim ond buddion ariannol sy'n bwysig wrth dderbyn archebion arbennig. Gall busnes benderfynu dioddef colled tymor byr ar gyfer elw tymor hwy neu efallai mai ei unig nod yw atal cystadleuydd rhag ennill yr archeb.

Crynodeb

Ar ôl astudio'r pwnc hwn, dylech allu:

- esbonio beth a olygir wrth archeb arbennig
- cyfrifo cyfraniad a chynghori ar briodoldeb neu amhriodoldeb derbyn archeb arbennig

Cwestiynau ac Atebion

Mae'r cwestiynau a'r atebion yn yr adran hon o'r llyfr yn dilyn patrwm tebyg i'r arholiadau. Mae'n cynnwys amrywiaeth o wahanol fathau o gwestiynau.

Yn union o dan bob cwestiwn mae rhai awgrymiadau gan arholwyr ar y ffordd orau i ymdrin ag ef (a nodir gan yr eicon e).

Ar gyfer pob cwestiwn mae ateb gradd is (Myfyriwr A) ac ateb gradd uwch (Myfyriwr B). Mae'r sylwebaeth sy'n dilyn pob ateb (a nodir gan eicon e) yn tynnu sylw at gryfderau a gwendidau'r ateb, a sut y gellid ei wella.

Strwythur yr arholiad

Mae cymhwyster Safon Uwch CBAC yn cynnwys pedwar papur sy'n werth cyfanswm o 300 marc. Mae'r canllaw hwn yn canolbwyntio ar Uned 3 sy'n para 2 awr 15 munud ac mae'n werth 80 marc. Mae'r papur yn cynnwys cwestiynau ymateb i ddata a chwestiynau strwythuredig gorfodol. Mae'r marciau sydd ar gael ar gyfer pob cwestiwn yn amrywio rhwng 2 a 14 marc. Rhaid i chi ateb pob cwestiwn.

Sgiliau arholiad

Ar gyfer y cwestiynau gwerth 1, 2 neu 3 marc, mae angen gwybodaeth o dermau busnes. Efallai y bydd y cwestiynau hyn hefyd yn gofyn i chi gyfrifo atebion gan ddefnyddio fformiwlâu rydych chi wedi'u dysgu a data sy'n cael ei gynnwys yn y darn (*extract*).

Mae cwestiynau gwerth 4 neu 6 marc yn gofyn am wybodaeth o dermau busnes, cymhwysiad penodol y term busnes o'r wybodaeth sydd yn y darnau a mantais a/neu anfantais i'r term busnes sy'n gysylltiedig â'r wybodaeth yn y darnau. Efallai y bydd y cwestiynau hyn hefyd yn gofyn i chi gyfrifo atebion gan ddefnyddio fformiwlâu rydych chi wedi'u dysgu a data yn y darnau. Bydd yr arholwr yn marcio'r math hwn o gwestiwn 'o'r gwaelod i fyny'. Mae hyn yn golygu bod pob marc yn cael ei ennill yn unigol, felly byddwch yn cael marciau am fantais, hyd yn oed os nad ydych chi wedi darparu unrhyw gyd-destun o'r deunydd yn y darnau. Cyd-destun yw unrhyw beth unigryw o fewn y darn rydych chi'n ei drafod yn eich ateb. Mae'n rhaid i'r ateb gyfeirio'n ôl at y cwestiwn.

Mae cwestiynau gwerth 8, 9, 10, 12 neu 14 marc yn gofyn am werthuso'r term busnes gan ddefnyddio tystiolaeth benodol o'r darn. Y ffordd fwyaf diogel o wneud hyn yw cynhyrchu dadl gref, ddwyochrog. Dylech hefyd geisio llunio barn am y busnes a'r termau allweddol a drafodir, ynghyd â chynnig atebion i broblemau busnes yn seiliedig ar y deunydd ysgogi a'ch gwybodaeth fusnes. Bydd yr arholwr yn marcio'r mathau hyn o gwestiwn o safbwynt 'ffit orau'. Mae hyn yn golygu y bydd yr arholwyr yn rhoi marciau i chi am y lefel uchaf o ymateb rydych chi'n ei dangos yn eich ateb.

Ar gyfer cwestiynau sy'n gofyn i chi ddadansoddi manteision ac anfanteision cysyniad busnes, neu'n gofyn i chi asesu sut y gallai cysyniad busnes fod yn ddefnyddiol, mae'r arholwr yn gofyn i chi ganolbwyntio ar yr ochr honno o'r ddadl yn unig ar gyfer y busnes a drafodir, yn hytrach na rhoi safbwynt gwrthgyferbyniol. Bydd angen i chi hefyd roi sylwadau manwl am bob un o'r ffactorau penodol yng nghyd-destun deunydd ysgogi'r cwestiwn.

Techneg wrth werthuso cwestiynau 12 marc

Gan mai'r rhain yw'r atebion mwyaf heriol i'w hateb ar y papur, mae'r arholwr yn chwilio am werthusiad manwl. Er mwyn eich helpu i ennill y marciau AA4 uchaf, efallai y bydd o gymorth i chi ystyried un o'r elfennau canlynol, sy'n cael eu hadnabod fel *MOPS* (***M**arket*, ***O**bjectives*, ***P**roduct*, ***S**ituation*), sef Marchnad, Amcanion, Cynnyrch a Sefyllfa, yn eich gwerthusiad:

- **Marchnad.** Beth yw nodweddion y farchnad y mae'r busnes yn gweithredu ynddi? Sut y mae'r rhain yn dylanwadu ar eich casgliad? Er enghraifft, mae *Apple* yn y farchnad ffonau clyfar sy'n farchnad ddynamig ac yn newid yn gyflym, ac felly mae angen gwario llawer o arian ar ymchwil a datblygu er mwyn sicrhau bod y cwmni'n cadw'r fantais gystadleuol.
- **Amcanion.** Beth yw amcanion y busnes, a sut y maen nhw'n cyd-fynd â'r sefyllfa y mae'r busnes ynddi? Sut y mae'r ffactorau hyn yn dylanwadu ar eich casgliad? Er enghraifft, efallai mai prif amcan cwmni *Apple* yw cael y gyfran fwyaf o'r farchnad. Os felly, mae'n bosibl mai creu'r cynnyrch mwyaf blaengar yw prif flaenoriaeth y cwmni, waeth beth a fo'r gost.
- **Cynnyrch.** Pa gynhyrchion neu wasanaethau y mae'r busnes yn eu gwerthu? Sut y gallai hyn ddylanwadu ar eich meddwl? Er enghraifft, efallai y bydd *Apple* yn cyhoeddi *iPhone* rhatach mewn lliwiau llachar i gipio cyfran uwch o'r farchnad.
- **Sefyllfa.** Beth yw sefyllfa bresennol y busnes? A yw hyn yn effeithio ar eich casgliad? Er enghraifft, os byddai gwerthiant ffonau clyfar yn lleihau, yna byddai angen i *Apple* chwilio am farchnadoedd newydd (e.e. India). Byddai angen i'r cwmni baratoi strategaethau newydd i gadw'r gyfran o'r farchnad sydd ganddo eisoes neu ei chynyddu drwy wneud ffôn rhatach ar gyfer y farchnad newydd honno. Mae hefyd yn bwysig nodi yn yr ateb y rhanddeiliaid a allai gael eu heffeithio gan hyn.

Mae angen i chi ddarllen y darn a'r cwestiwn a defnyddio'r elfen/nau mwyaf priodol uchod yn y cyd-destun hwn i'ch helpu i edrych ar y materion ehangach sy'n effeithio ar y busnes a fydd yn dylanwadu ar y materion allweddol yn y cwestiwn.

1

Darn 1

Mae brand technoleg newydd yn ceisio argyhoeddi pobl gyfoethog Llundain i dalu tua £10,000 am ffôn clyfar.

Mae *Sirin Labs*, sydd wedi cael hwb dechreuol o $72 miliwn (£50 miliwn) gan y Prif Weithredwr ei hun, Tal Cohen, ynghyd â benthyciadau buddsoddwyr a chyfleuster gorddrafft mawr gan fanc *Sirin Labs*, yn bwriadu lansio'r ddyfais mewn marchnad orlawn lle mae'r *iPhone* gan gwmni *Apple* yn dominyddu'r pen uchaf.

Bydd *Sirin Labs* yn ceisio creu dyfais arbenigol a phremiwm iawn sy'n fwy na deg gwaith yn ddrutach na'r *iPhone* drwy ddefnyddio nodweddion diogelwch gradd filwrol a deunyddiau premiwm, fel metelau gwerthfawr a diemyntau. Eto i gyd, bydd y ffôn clyfar sy'n rhan o'r ddyfais yn seiliedig ar system weithredu *Android* gan gwmni *Google*, sydd ar gael i weithgynhyrchwyr ffonau symudol yn rhad ac am ddim. Mae *Sirin Labs* wedi llwyddo i gael gafael ar rannau ar gyfer ei ffonau clyfar ar gost o £50 y ffôn.

Mae'r cwmni'n gobeithio y gall lwyddo i werthu ffonau clyfar fel symbolau o statws mewn marchnad arbenigol lle mae cwmnïau eraill wedi cael trafferth. Mae'n bwriadu gwneud hyn drwy wneud y ffonau i union ofynion y cwsmer.

Yn ôl Tal Cohen, mae'r cwmni'n edrych ar faint marchnad o 60 miliwn, sy'n cynnwys 18 miliwn o filiwnyddion. 'Ym mhob marchnad defnyddwyr, mae tua 2%–10% yn gynhyrchion pen uchaf. Ym maes ffonau symudol, dim ond 0.1%–0.2% o ddefnyddwyr sydd wedi mabwysiadu ffonau pen uchaf hyd yn hyn, felly dylai o leiaf 1.8% yn rhagor o'r farchnad hon gael eu denu gan gynnyrch pen uchaf.'

Sirin Labs detholiad o asedau ar gyfer y mis sy'n diweddu 30 Mehefin 2016

	£
Rhestr eiddo (stoc)	50,000
Masnach ac arian sy'n ddyledus i'r busnes	10,000
Arian yn y banc	500,000
Cyfanswm asedau cyfredol	560,000

Cymhareb prawf asid

Cyfanswm rhwymedigaethau cyfredol *Sirin Labs* ar gyfer y mis sy'n diweddu 30 Mehefin 2016 yw £300,000.

Cyfrifwch y gymhareb prawf asid ar gyfer y mis sy'n diweddu 30 Mehefin 2016 i'r ddau le degol agosaf. (3 marc)

e Mae'r gorchymyn 'cyfrifwch' yn golygu bod angen i chi gwblhau cyfrifiad fesul cam gan ddefnyddio data o'r wybodaeth a ddarparwyd.

AA2: am gymhwyso fformiwla cymhareb prawf asid, gan ddefnyddio'r ffigurau cywir o'r wybodaeth sy'n cael ei darparu. Mae AA1 ar gyfer gwybodaeth fel nodi ffynhonnell. Ar gyfer AA2 bydd angen rhoi'r wybodaeth o'r darn i mewn i'r fformiwla. Mae hyn yn werth hyd at 3 marc.

Rhoddir 3 marc am yr ateb cywir.

Myfyriwr A

$$\text{cymhareb prawf asid} = \frac{\text{asedau cyfredol} - \text{stoc}\ \textbf{a}}{\text{rhwymedigaethau cyfredol}}$$

$$= \frac{560{,}000 - 50\ \textbf{b}}{300{,}000\ \textbf{c}}$$

$$= 1.867\ \textbf{d}$$

e Dyfarnwyd 1/3 marc [a] Mae'r myfyriwr yn nodi'r fformiwla gywir ar gyfer y gymhareb prawf asid, gan ennill 1 marc gwybodaeth. [b] Mae'r myfyriwr yn camddehongli'r ffigur ar gyfer rhestr eiddo (stoc) — dylai fod yn £50,000. Mae'r gwall hwn yn golygu nad oes yr un marc yn cael ei ennill am y rhan hon o'r cyfrifiad, er bod y ffigurau eraill yn gywir. [c] Mae'r myfyriwr yn gosod y rhwymedigaethau cyfredol yn y rhan gywir o'r fformiwla, gan ennill 1 marc AA2 [d] Mae'r myfyriwr yn cyfrifo'r gymhareb prawf asid yn anghywir oherwydd ei wall blaenorol, felly nid yw'n ennill unrhyw farciau.

Myfyriwr B

$$\text{cymhareb prawf asid} = \frac{\text{asedau cyfredol} - \text{stoc [a]}}{\text{Rhwymedigaethau cyfredol}}$$

= 1.70 [b]

e Dyfarnwyd 3/3 marc [a] Mae'r myfyriwr yn nodi'r fformiwla gywir ac yn ennill 1 marc gwybodaeth. [b] Mae'r myfyriwr yn nodi'r cyfrifiad cywir o'r gymhareb prawf asid i ddau le degol ar gyfer *Sirin Labs*. Mae hyn yn ennill cyfanswm o 2 farc iddo.

Mae Myfyriwr A yn gwneud y math o gamgymeriad a all ddigwydd o dan bwysau'r arholiad ac yn camddehongli'r ffigur o'r wybodaeth a ddarperir. Os yw'r ffigur yn anghywir, ni ellir rhoi clod iddo.

Mae gan Fyfyriwr B ddealltwriaeth ardderchog o'r fformiwla. Mae'r cyfrifiad yn gywir ar gyfer y gymhareb prawf asid. Mae'r ateb cywir yn unig yn werth 3 marc. Mae hyn oherwydd bod yr arholwr yn rhagdybio na allech fod wedi cyfrifo'r ateb cywir heb wybod y fformiwla gywir a sut i'w chymhwyso, er na fydd, efallai, yn cael ei dangos mewn llyfryn ateb myfyriwr. Dangos eich gwaith yn y llyfryn ateb yw'r ffordd orau o gwblhau cwestiynau fel hyn oherwydd, hyd yn oed os ydych yn gwneud camgymeriad bach, efallai y byddwch yn dal i ennill rhai marciau.

Y gymhareb gyfredol

Cymhareb gyfredol *Sirin Labs* ar 30 Gorffennaf 2016 yw 4.0.

Esboniwch sut y gallai defnyddio'r gymhareb gyfredol helpu *Sirin Labs* i reoli risg. (6 marc)

e Mae'r gorchymyn 'esboniwch' yn golygu bod angen i chi roi manylion a rhesymau dros sut a pham y mae'r term 'cymhareb gyfredol' yn ymwneud â *Sirin Labs*, gan nodi mantais neu anfantais fel y bo'n briodol i'r cwestiwn, a chyfiawnhau'r pwynt.

AA1: am roi rheswm pam y gallai'r gymhareb gyfredol helpu busnes i reoli risg. Mae hyn yn werth 2 farc.

AA2: am gymhwyso'r gymhareb gyfredol i *Sirin Labs*, gan ddefnyddio'r wybodaeth yn y dyfyniad. Mae hyn yn werth hyd at 2 farc.

AA3: am esbonio'r budd i *Sirin Labs* o ddefnyddio'r gymhareb gyfredol i'w helpu i reoli risg. Mae hyn yn werth 2 farc.

Myfyriwr A

$$\text{cymhareb} = \frac{\text{asedau cyfredol}}{\text{rhwymedigaethau cyfredol}}$$ a

Mae'r gymhareb gyfredol yn dangos gallu'r busnes i gwrdd â'i gredydwyr tymor byr. b

ⓔ **Dyfarnwyd 1/6 marc** a a b Mae'r myfyriwr yn nodi'r fformiwla gywir ar gyfer y gymhareb gyfredol yn ogystal â diffiniad cryno, ond nid yw hyn ond yn dangos dealltwriaeth gyfyngedig o'r cysyniad, gan nad yw'n berthnasol i'r cwestiwn. Rhoddir marc AA1 am wybodaeth.

Myfyriwr B

Mae'r gymhareb gyfredol yn dangos gallu'r busnes i gwrdd â'i gredydwyr tymor byr. a Ystyrir cymhareb ddelfrydol sydd rhwng 1.0 a 3.0 fel un normal, a bydd hyn yn helpu *Sirin* i asesu'n hawdd a yw'n gallu talu ei ddyledion. b Yn achos *Sirin*, mae'r gymhareb yn uwch na 3.0 a allai olygu bod gan y busnes ormod o arian ynghlwm mewn stoc. c O ganlyniad, dylai *Sirin* geisio lliniaru'r risg hon, er enghraifft, drwy wario mwy o arian ar hysbysebu ei gynhyrchion er mwyn cael mwy o brynu gan gwsmeriaid, a thrwy hynny, leihau lefelau ei stoc. d Mae'r gymhareb gyfredol yn helpu *Sirin* i adnabod y risg hon ac i gymryd camau i'w lleihau. e

Ar y llaw arall, byddai gwerth cymhareb o lai na 1.0 yn golygu na fydd y busnes, o bosibl, yn gallu talu ei ddyledion yn gyflym. f

ⓔ **Dyfarnwyd 4/6 marc** a Mae'r myfyriwr yn nodi diffiniad cywir o'r gymhareb gyfredol gan ennill y marc AA1 cyntaf. b Mae'n nodi'r fantais i *Sirin Labs* o ddefnyddio'r gymhareb gyfredol, gan ennill marc AA1 pellach. c Mae'r myfyriwr yn nodi'r mater yn gywir gyda chymhareb gyfredol *Sirin Labs*, a hynny am 1 marc AA2. d ac e Mae'r myfyriwr yn dadansoddi canlyniad y gymhareb gyfredol ac yn awgrymu ffordd o leihau'r risg i'r busnes am 1 marc AA3. Mae angen datblygu'r pwynt ymhellach er mwyn cael marc dadansoddi pellach. f Mae'r myfyriwr yn ceisio esbonio'r risg o gael gwerth cymhareb gyfredol is, ond gan nad oes unrhyw farciau gwybodaeth pellach ar gael, a chan nad yw'n ymwneud yn benodol â *Sirin Labs*, ni enillir rhagor o farciau.

Mae Myfyriwr A ond yn ennill 1 marc (gradd U), gan ddangos gwybodaeth wan wrth ateb y cwestiwn.

Mae Myfyriwr B yn gwastraffu amser ar nodi diffiniad syml i ddechrau. Fodd bynnag, mae rheswm pam y byddai'r gymhareb o fudd i *Sirin Labs* yn cael ei nodi a'i ddatblygu, ac mae'r pwynt yn ymwneud â chyd-destun y busnes. Nid yw'r pwynt am hysbysebu yn ddigon unigryw i *Sirin Labs* i ennill rhagor o farciau. At ei gilydd, byddai'r ateb yn ennill gradd C.

Rhagfynegi gwerthiant

Beth yw rhagfynegi gwerthiant a sut y gallai fod yn ddefnyddiol i *Sirin Labs*? (9 marc)

ⓔ Mae'r ymadrodd 'beth yw' yn golygu bod angen i chi roi diffiniad sy'n seiliedig ar ragfynegi ar sail gwybodaeth o'r gwerthiant. Ar gyfer y gair 'sut', mae angen i chi roi ateb sy'n seiliedig ar y darn gyda manteision ac anfanteision y cysyniad busnes yn y cwestiwn. Y sgil fwyaf sydd ei angen yw'r gallu i ddadansoddi.

AA1: am ddangos dealltwriaeth o'r broses o ragfynegi gwerthiant trwy roi rhesymau pam y mae rhagfynegi gwerthiant yn ddefnyddiol, neu ddiffiniad o ragfynegi gwerthiant. Mae hyn yn werth uchafswm o 3 marc.

AA2: am gymhwyso defnyddioldeb y broses o ragfynegi gwerthiant i *Sirin Labs*. Cofiwch ddefnyddio'r cymhwysiad cywir o'r cyd-destun. Mae hyn yn werth hyd at 3 marc.

AA3: am ddadansoddi defnyddioldeb cymharol y broses o ragfynegi gwerthiant yng nghyd-destun *Sirin Labs*. Mae hyn yn werth hyd at 3 marc.

Myfyriwr A

Mae rhagfynegi gwerthiant yn bwysig i fusnes gan ei fod yn caniatáu iddo gynllunio ar gyfer faint o gynhyrchion y bydd yn eu gwerthu yn y dyfodol. **a** Bydd hyn yn ddefnyddiol i *Sirin Labs* gan y gall ragfynegi faint o ffonau clyfar y bydd yn eu gwerthu. **b** Bydd hyn yn rhoi siawns i'r busnes edrych ar dueddiadau defnyddwyr a'r economi a seilio ei werthiant ar faint o bobl gyfoethog fydd yn prynu ffôn symudol. **c**

Rheswm arall yw, drwy ragfynegi faint o werthiant y bydd y cwmni'n ei gael yn y dyfodol, gall archebu digon o stoc i sicrhau ei fod yn gallu bodloni gofynion ei gwsmer. **d** Mae hyn yn golygu y bydd yn gallu sicrhau ei fod yn gwneud elw. **e**

e **Dyfarnwyd 4/9 marc** **a** Mae'r myfyriwr yn rhoi diffiniad sy'n dangos dealltwriaeth o'r broses o ragfynegi gwerthiant ac yn ennill 1 marc AA1. **b** Mae'n nodi sut y gallai hyn fod yn ddefnyddiol yng nghyd-destun y cwestiwn, gan ddefnyddio cymhwysiad perthnasol. Mae'n ennill marc AA1 pellach a marc AA2. **c** Mae'r myfyriwr yn rhoi cymhwysiad pellach o sut y bydd rhagfynegi gwerthiant yn helpu'r busnes. Mae'n ennill marc AA2 arall. **d** Mae'r myfyriwr yn ceisio rhoi mantais arall o ragfynegi gwerthiant, ond yr un rheswm yw hyn ag yn y paragraff blaenorol, felly nid yw'n ennill unrhyw farciau ychwanegol. Mae'r myfyriwr hefyd yn ceisio dangos canlyniad o allu archebu digon o stoc, ond eto nid yw hyn wedi'i ddatblygu'n ddigonol, felly nid yw'n ennill unrhyw farc. **e** Mae'r myfyriwr yn ceisio dangos mantais archebu stoc ddigonol, ond nid yw hyn yn cael ei esbonio ac nid yw'n ddim ond rhagdybiaeth, felly nid yw'n ennill unrhyw farciau pellach.

Myfyriwr B

Rhagfynegi gwerthiant yw'r broses lle mae cwmni'n rhagfynegi beth fydd ei werthiant yn y dyfodol. **a** Un rheswm pam y gallai hyn fod yn ddefnyddiol i *Sirin Labs* yw y gall amcangyfrif faint o ffonau symudol gwerth £10,000 y gall eu gwerthu. **b** Yn ôl y darn, mae Tal Cohen eisoes wedi edrych ar y farchnad ar gyfer ffonau o'r fath, gan nodi bod yna farchnad o 18 miliwn o filiwynyddion, ac y bydd rhagfynegiad gwerthiant yn ceisio amcangyfrif faint o'r rheiny fydd yn prynu ffôn o *Sirin Labs* yn Llundain. **c** Er enghraifft, gan fod yna lawer o bobl gyfoethog yn ymweld â Llundain yn yr haf, bydd y rhagfynegiad gwerthiant yn rhagfynegi mwy o werthiant ac yna'n archebu stoc digonol o ffonau a deunyddiau premiwm i sicrhau bod *Sirin Labs* yn gallu ateb y galw posibl hwn. **d** O ganlyniad i hyn, bydd *Sirin Labs* yn gallu gwerthu ffonau uwch-bremiwm i'w gwsmeriaid rhagweledig a gwneud elw sylweddol o bob un a werthir. Bydd hyn yn lleihau'r risg o golli gwerthiant a phrinder stoc. **e**

Rheswm arall pam y gallai rhagfynegiadau gwerthiant fod yn ddefnyddiol yw sicrhau bod deunyddiau costus, fel diemyntau, yn cael eu harchebu a'u talu pan fydd yna werthiant posibl. f O ganlyniad i hyn, byddai llai o arian ynghlwm wrth stoc, gan ganiatáu i fwy o gyfalaf gweithio gael ei ddefnyddio at ddibenion eraill, fel hybsysebu i'r cwsmeriaid cyfoethog. g Fodd bynnag, oherwydd bod *Sirin Labs* yn fusnes newydd sydd newydd agor ei siop gyntaf, bydd yn ei chael hi'n anodd rhagfynegi gwerthiant, gan nad oes ganddo ddim gwybodaeth flaenorol am y galw am ffonau symudol pen uchaf y farchnad. h Mae hyn yn golygu ei bod yn bosibl na fydd rhagfynegiad busnes yn ddefnyddiol yn y lle cyntaf, sy'n creu'r risg o archebu gormod o ddeunyddiau drud, fel diemyntau, na ellir eu defnyddio am nad yw'r nifer disgwyliedig o gwsmeriaid yn prynu'r ffôn. i O ganlyniad i hyn, gall y refeniw gwerthiant fod yn is na'r disgwyl ac efallai na fydd digon o arian ar gael i dalu biliau. j

e **Dyfarnwyd 9/9 marc** a Mae'r myfyriwr yn rhoi diffiniad cywir o'r broses o ragfynegi gwerthiant, gan ennill 1 marc AA1. b Mae'n nodi un defnydd o ragfynegi gwerthiant, gan ddefnyddio cymhwysiad. Mae'n ennill 1 marc AA2. c Mae'r myfyriwr yn datblygu'r cymhwysiad mewn manylder er mwyn ennill marc AA2 pellach. d Mae'r pwynt yn cael ei ddatblygu yng nghyd-destun y darn er mwyn dadansoddi defnydd arall o'r rhagfynegiad gwerthiant, gan ennill marc AA2 arall ac 1 marc AA3. e Mae'r canlyniad yn cael ei ddatblygu gyda chyd-destun pellach er mwyn dangos mantais rhagfynegiadau gwerthiant. Mae'n ennill marc AA3 pellach. f a g Mae'r myfyriwr yn nodi mantais arail mewn cyd-destun, gan ennill 1 marc AA1. Ond nid oes marciau pellach ar gael ar gyfer y cymhwysiad hwn. h ac i Mae'r myfyriwr yn rhoi pwynt dadansoddol sydd wedi'i ddatblygu'n dda ynghylch rhagfynegi gwerthiant yng nghyd-destun y busnes newydd. Mae'n ennill 1 marc AA1. g Mae'r fantais yn cael ei datblygu yng nghyd-destun *Sirin Labs*, gan ennill 1 marc AA3. i a j Mae'r anfantais yn cael ei datblygu ond nid oes marciau pellach ar gael ar gyfer y dadansoddiad.

Mae Myfyriwr A yn rhoi diffiniad da ac yn datblygu hyn mewn cyd-destun, ond damcaniaethol yw'r dadansoddiad ar gyfer y ddau ddefnydd. Gwneir tybiaethau bras ar gyfer y manteision, yn hytrach na chynnig ateb sy'n seiliedig ar dystiolaeth o'r darn, felly dim ond marciau cyfyngedig sy'n cael eu hennill. At ei gilydd, byddai'r ateb yn cael gradd C. Mae defnyddio'r darn a deall gofynion y cwestiwn yn allweddol i'r myfyriwr hwn sgorio'n dda. Mae Myfyriwr B yn rhoi ateb rhagorol (gradd A*) drwy gymhwyso'r theori yn fanwl i'r sefyllfa fusnes.

Darn 2

Dechreuodd *JD Wetherspoon* ei oes yn 1979 a daeth yn CCC (*plc*) yn 1992. Bellach, mae ganddo 750 o dafarndai sydd hefyd yn gweini bwyd. Y cwmni hefyd yw'r ail gadwyn dafarn fwyaf yn y DU. Un o'r rhesymau dros ei lwyddiant yw'r ffaith bod y tafarnau yn cyfuno bwydydd a diodydd rhad gydag oriau agor sy'n ymestyn o amser brecwast i hanner nos. Cyfranddaliwr mwyaf y cwmni yw'r sylfaenydd a'r cadeirydd, Tim Martin. Mae'n berchen ar 30% o'r cyfranddaliadau. Cefnogodd Tim Martin Brexit, a arweiniodd at gwymp ym mhris y cyfranddaliadau yn y cyfnod yn arwain at ganlyniad y refferendwm. Ond mae'r pris bellach wedi cynyddu'n sylweddol o £6 i £9 y gyfran ym mis Ionawr 2017.

Yr elw a gofnodwyd hyd at 24 Ionawr 2016, cyn treth, oedd £36 miliwn. Dyma gwymp o 3.8% o'i gymharu â'r flwyddyn flaenorol. Fodd bynnag, cynyddodd y refeniw ar gyfer yr un cyfnod i £790.3 miliwn. Mae Tim Martin wedi awgrymu mai'r rheswm dros hyn oedd costau uwch o ran staff, fel cynnydd yn yr isafswm cyflog. Rhoddodd hefyd fai ar y dreth ychwanegol y mae'n rhaid i dafarnau ei thalu ar alcohol, o'i gymharu â'r hyn a brynir gan gystadleuwyr fel archfarchnadoedd. Mae *Wetherspoon* wedi dechrau rhaglen o brynu ei gyfranddaliadau ei hun yn ôl, gyda'r pryniant cyntaf yn costio £39 miliwn. Mae rhwymedigaethau tymor hir ar gyfer ffigurau sy'n dod i ben yn 2016 yn £236.9 miliwn, a chyfalaf a ddefnyddir yn £792.6 miliwn.

Geriad

Gan ddefnyddio data o'r darn, cyfrifwch y geriad ar gyfer *JD Wetherspoon* ar gyfer y flwyddyn sy'n diweddu 26 Gorffennaf 2015 i'r ddau le degol agosaf. (4 marc)

e Mae'r gorchymyn 'cyfrifwch' yn golygu bod angen i chi gwblhau cyfrifiad fesul cam gan ddefnyddio data o'r darn.

AA2: am gymhwyso fformiwla geriad gan ddefnyddio ffigurau cywir o'r darn. Mae marc AA2 ar gael am nodi'r fformiwla gywir. Mae hyn yn werth hyd at 4 marc.

Myfyriwr A

$$\text{geriad} = \frac{\text{cyfalaf a ddefnyddiwyd}}{\text{rhwymedigaethau tymor hir}} \times 100 \text{ a}$$

$$= \frac{792.6}{236.9 \text{ c}} \times 100 \text{ b}$$

$$= 334.57\% \text{ d}$$

e **Dyfarnwyd 0/4 marc** a Mae'r myfyriwr yn nodi'n anghywir y fformiwla ar gyfer y fformiwla geriad ac felly'n ennill dim marciau. b Mae'r myfyriwr yn defnyddio'r ffigur cywir o'r darn ar gyfer y cyfalaf a ddefnyddiwyd, ond mae'n ei osod yn y rhan anghywir o'r cyfrifiad, ac felly nid yw'n ennill dim marciau. c Mae'r myfyriwr yn defnyddio'r ffigur cywir ar gyfer y rhwymedigaethau tymor hir ond yn ei roi yn y rhan anghywir o'r cyfrifiad. Nid yw'n ennill dim marciau. d Mae'r myfyriwr yn cyfrifo'r geriad yn anghywir oherwydd ei wallau blaenorol ac felly nid yw'n ennill unrhyw farciau.

Myfyriwr B

$$\text{geriad} = \frac{\text{rhwymedigaethau tymor hir}}{\text{cyfalaf a ddefnyddiwyd}} \times 100 \text{ a}$$

$$= \frac{236.9}{792.6 \text{ c}} \times 100 \text{ b}$$

$$= 28.89 \text{ d}$$

e **Dyfarnwyd 3/4 marc** a Mae'r myfyriwr yn nodi'r fformiwla geriad yn gywir ac yn ennill 1 marc gwybodaeth. b Mae'r myfyriwr yn defnyddio'r ffigur cywir o'r darn ar gyfer y rhwymedigaethau tymor hir yn y rhan gywir o'r cyfrifiad, ac felly'n ennill 1 marc. c Mae'r myfyriwr yn defnyddio'r ffigur cywir ar gyfer y cyfalaf a ddefnyddiwyd ac yn ei osod yn y rhan gywir o'r cyfrifiad. Mae'n ennill 1 marc. d Mae'r myfyriwr yn cyfrifo'r geriad yn gywir i'r ail le degol. Fodd bynnag, gan nad yw'r ganran yn cael ei chynnwys, nid yw'n ennill unrhyw farc.

Mae Myfyriwr A yn gwneud y math o gamgymeriad sy'n digwydd o dan bwysau arholiad ac yn camddehongli'r fformiwla geriad. Os yw'r ffigurau wedi'u gosod yn anghywir yn y fformiwla, ni ellir rhoi unrhyw glod iddo. Gallai'r myfyriwr fod wedi sylwi ar hyn o'r ganran amlwg anghywir o'r geriad a gyfrifwyd ganddo — nid yw'n mynd i fod yn ffigur sy'n uwch na 90%.

Mae Myfyriwr B yn nodi'r fformiwla gywir. Mae'r cyfrifiad yn gywir ac yn cynhyrchu ateb sy'n ymddangos yn gywir ar gyfer y geriad. Fodd bynnag, nid yw'r myfyriwr wedi cynnwys marc canran ac felly mae'n colli marc hawdd i'w ennill. Dangos eich gwaith yn y llyfryn ateb yw'r ffordd orau o gwblhau cwestiynau fel hyn oherwydd hyd yn oed os ydych yn gwneud camgymeriad, gallech dal ennill marciau. Yn yr achos hwn, mae dangos y gwaith wedi golygu bod y myfyriwr yn ennill 3 marc yn hytrach na gradd D (gradd B).

Darn 3

Yn ôl ymchwil, po leiaf y gadwyn dafarn, yr uchaf yw'r tyfiant, gyda rhai cadwyni'n tyfu ddwywaith mor gyflym â chadwyni mawr fel *Wetherspoon*. Mae trosiant cadwyni llai wedi cynyddu bron i draean yn y pum mlynedd ddiwethaf. Mae'r twf wedi dod o brynu tafarnau unigol a thrwy bwyntiau gwerthu unigryw fel cwrw crefft a bwyd 'gastro' o safon bwyty. Er enghraifft, mae'r gadwyn *Brunning and Price* wedi tyfu i 54 o dafarnau, gydag elw cyn treth yn 2015 i fyny 16% (5.4 miliwn) o'i gymharu â'r flwyddyn flaenorol.

Dywedodd y Prif Weithredwr, Richard Beenstock: 'mae gennym ni [*Brunning and Price*] fwy o ryddid i arbrofi ac ymateb i'r hyn y mae'r cwsmer ei eisiau'. Mae Richard Beenstock yn credu mai dyma sut y gall y cwmni drawsnewid sefydliadau a werthwyd iddo gan gadwyni tafarn mawr, yn fentrau proffidiol. Yn ôl Richard Beenstock, mae cael yr hyn mae'r dafarn yn ei chynnig yn iawn yn golygu bod modd i'r cwmni gynyddu trosiant ac elw. Er enghraifft, yn hytrach na stocio brandiau cwrw cenedlaethol, mae'n gwerthu brandiau lleol.

Cydsoddiad a throsfeddiant

Mae *Wetherspoon* yn ystyried ehangiad anorganig, a hynny er mwyn cyflawni ei nod o fod yn arweinydd yn y farchnad dafarnau. Mae ganddo ddau opsiwn, cydsoddiad (*merger*) â'r gadwyn *Brunning and Price* neu ei throsfeddiannu (*takeover*).

Dadansoddwch a gwerthuswch pa un o'r ddau opsiwn hyn sydd fwyaf addas ar gyfer *Wetherspoon*. (12 marc)

e Mae'r gorchmynion 'dadansoddwch' a 'gwerthuswch' yn golygu bod angen i chi adolygu achos ac effaith naill ai gydsoddiad neu drosfeddiant, a hynny'n fanwl. Mae angen hefyd ystyried manteision ac anfanteision pob un gan ddefnyddio deunydd o'r darn. Bydd angen i chi bwyso a mesur cryfderau a gwendidau er mwyn cefnogi barn benodol, gan ffurfio argymhelliad a chasgliad. Dylai'r darn gael ei ddefnyddio i ddarparu cymhwysiad.

AA1: am roi rheswm, diffiniad neu ryw wybodaeth am gydsoddiad neu drosfeddiant, gan ddangos dealltwriaeth o bob term busnes. Mae hyn yn werth hyd at 3 marc.

AA2: am gymhwysiad da o sut y byddai cydsoddiad neu drosfeddiant, yn cyflawni twf yng nghyd-destun *Wetherspoon*. Bydd angen i chi gyfeirio'n glir at y darn er mwyn cefnogi eich dadl. Mae hyn yn werth hyd at 3 marc.

AA3: am roi dadansoddiad da o sut y mae'r materion a nodwyd yn rhai pwysig ar gyfer llwyddiant *Wetherspoon*. Mae hyn yn werth hyd at 3 marc.

AA4: am roi gwerthusiad gwych o'r ffactorau allweddol sy'n effeithio ar gydsoddiad neu drosfeddiant a asesir yng nghyd-destun *Wetherspoon*. Bydd angen i chi lunio barn gefnogol am y termau busnes yng nghyd-destun y cwestiwn ac, o bosibl, gynnig argymhelliad a chasgliad ynghylch y strategaeth orau i *Wetherspoon*. Mae hyn yn werth hyd at 3 marc.

Myfyriwr A

Cydsoddiad yw pan mae dau fusnes ar wahân yn penderfynu dod yn un busnes unigol, yn aml er mwyn arbed costau a chynyddu cystadleurwydd y farchnad. **a** Cadwyn dafarn fach yw *Brunning and Price* sy'n arbenigo mewn gwerthu cwrw unigryw a bwyd i deuluoedd. **b** Os bydd *Wetherspoon* yn cydsoddi â *Brunning*, y fantais fyddai ennill 54 o dafarnau *Brunning* a'i gwsmeriaid ar unwaith. **c** Mae hyn yn golygu y byddai *Wetherspoon* yn gweld ei fusnes yn cynyddu ar unwaith. **d** Byddai *Wetherspoon* hefyd yn elwa ar yr arbenigedd sydd gan *Brunning* gyda'i allu i arbrofi ac ymateb yn gyflym i'r hyn mae ei gwsmeriaid yn eu dymuno. **e**

Fodd bynnag, efallai y bydd yn rhaid i *Wetherspoon* roi rhywfaint o lais i berchnogion *Brunning* yn y ffordd y caiff y busnes newydd ei redeg ynghyd â chyfran o'r elw a wneir. **f** O ganlyniad, efallai y bydd gwrthdaro rhwng uwch reolwyr *Wetherspoon* a *Brunnig and Price* a allai leihau cryfder cyffredinol delwedd y brand ar draws y busnes newydd. **g** Er enghraifft, efallai na fydd *Brunning* yn dymuno mabwysiadu'r un dull disgownt y dywedir y bydd *Wetherspoon* yn ei fabwysiadu, ac efallai y bydd am gadw pob un o'i dafarnau'n unigryw. Efallai y bydd *Wetherspoon* yn dymuno parhau gyda'i apêl marchnad dorfol o werthu diodydd a bwyd am brisiau rhad. **h**

Trosfeddiannu yw pan fydd un busnes yn cael gafael ar fuddiant rheoli mewn busnes arall; i bob pwrpas, mae trosfeddiannu yn caniatáu i'r busnes gael ei reoli gan y perchennog newydd. **i** Mantais trosfeddiannu i *Wetherspoon* yw y byddai'n cael rheolaeth lwyr dros unrhyw benderfyniadau busnes a wneir ynglŷn â 54 o dafarnau *Brunning and Price*. **j** O ganlyniad, gallai benderfynu datblygu brand *Brunning* i gyfeiriad marchnad dorfol a dal sicrhau twf cyflym iawn yn ei fusnes. **k** Yn ogystal â hynny, gall ennill cwmseriaid ffyddlon *Brunning* yn y trosfeddiannu olygu y byddai *Wetherspoon* yn gallu bod mewn safle fwy dominyddol yn y sector tafarnau a allai ei helpu, yn y pen draw, i wrthdroi'r gostyngiad o 3.5% mewn elw a ddioddefodd yn 2016. **l** Dyma'r dull y dylai *Wetherspoon* ei gymryd er mwyn cynyddu ei gyfran o'r farchnad yn gyflym, gan wella'r amrywiaeth o gynhyrchion y mae'n eu cynnig ar yr un pryd. **m**

e **Dyfarnwyd 9/12 marc** **a** Mae'r myfyriwr yn rhoi diffiniad cywir o gydsoddiad, gan ennill 1 marc AA1. **b**, **c** a **d** Mae'r myfyriwr yn cysylltu'r cyd-destun â'r cwestiwn ac yn datblygu mantais a rheswm o blaid cydsoddiad â *Brunning* sy'n unochrog, ond mae'n ennill 2 farc AA2 ac 1 marc AA3. **e** Mae'r myfyriwr yn datblygu'r fantais i *Wetherspoon* gyda defnydd da o gyd-destun. Mae'n ennill marc AA2 arall, ond nid yw'n cael ei gysylltu'n effeithiol â'r amcan twf, felly nid yw ond yn ennill 1 marc AA1. **f**, **g** a **h** Mae'r myfyriwr yn gwneud pwynt gwerthusol ac yn datblygu hyn gan ddefnyddio tystiolaeth. Fodd bynnag, nid yw'r pwynt yn cael ei gysylltu'n ddigon cryf â'r cwestiwn, ac felly dim ond 1 marc AA4 a enillir. **i** Mae'r myfyriwr yn diffinio trosfeddiannu yn gywir ac yn ennill 1 marc AA1. **j**, **k** ac **l** Datblygir mantais trosfeddiannu gyda thystiolaeth, gan ei chysylltu â'r amcan twf. Mae'n ennill 1 marc AA3. **m** Mae'r myfyriwr yn ceisio gwneud argymhelliad gyda thystiolaeth, ond nid yw wedi rhoi unrhyw werthusiad o'r trosfeddiannu, ac nid yw ychwaith wedi edrych yn fanwl ar un o'r elfennau MOPS. Nid yw, felly, yn ennill unrhyw farciau pellach.

Myfyriwr B

Byddai cydsoddiad yn gwneud *Wetherspoon* a *Brunning and Price* yn un busnes. a O ganlyniad, bydd *Wetherspoon* yn cyflawni ei amcan twf gan y byddai'n ennill 54 o dafarnau newydd a sianel ddosbarthu ehangach hefyd. b Wrth i berchnogion *Brunning* gael cyfranddaliad yn y busnes newydd, maen nhw'n debygol o chwarae rhan weithredol yn y gwaith o ddatblygu brand *Wetherspoon*, gan ddod â'u profiad o ddatblygu tafarnau sy'n ymateb yn gyflym i anghenion y cwsmer, a all fod o fudd pellach i'r busnes newydd. c Byddai hyn yn galluogi *Wetherspoon* i gael mynediad at gwsmeriaid marchnad fwy arbenigol yn y gadwyn *Brunning and Price*. Dyma farchnad lle nad yw'n cael gwerthiant ohoni. Gallai cam o'r fath olygu mwy o dwf i *Wetherspoon*. d O ganlyniad i'r twf anorganig hwn, bydd mwy o arloesedd drwy sgiliau a chymwyseddau newydd yn y busnes. Ar yr un pryd, bydd *Wetherspoon* yn ennill mwy o bŵer y farchnad a gallai gynyddu ei brisiau yn y tymor hir, gan wrthdroi'r gostyngiad mewn elw yn 2016. e

Fodd bynnag, mae cydsoddiad llwyddiannus fel arfer yn digwydd rhwng dau fusnes cymharol gyfartal o ran maint ac, o edrych ar y darnau, mae *Wetherspoon* yn llawer mwy o faint na *Brunning*. Mae gan *Wetherspoon* dros 750 o dafarnau o gymharu â'r 54 sydd gan *Brunning*. f Hefyd, nid yw'n ymddangos mai *Brunning* yw'r ffit strategol orau ar gyfer *Wetherspoon* gan ei bod yn ymddangos bod *Brunning* yn anelu mwy at gwsmeriaid arbenigol sy'n mwynhau arbrofi gyda chwrw unigryw. Mae *Wetherspoon*, ar y llaw arall, yn cael ei ddisgrifio fel cadwyn ddisgownt. g O ganlyniad, mae'n debygol y bydd gwrthwynebiad sylweddol gan *Brunning* i gydsoddiad o'r fath oni fydd y busnes yn gallu cadw swm sylweddol o'i hunaniaeth unigryw. h Ymddengys fod *Wetherspoon* yn cael ei ddominyddu gan Tim Martin, sy'n dal 30% o gyfranddaliadau'r cwmni. Hyd yn oed pe bai cydsoddiad yn digwydd, gall y cynnydd tymor byr mewn twf gael ei golli yn y tymor hir oherwydd llai o hyblygrwydd. Byddai hyn o ganlyniad i amcanion corfforaethol a gwrthgyferbyniol y perchnogion newydd. i

Fodd bynnag, byddai trosfeddiannu yn caniatáu i *Wetherspoon* gymryd rheolaeth lawn o *Brunning* heb wanhau cyfranddaliadau neu golli rheolaeth sydd fel arfer yn digwydd gyda chydsoddiad. j Prif fantais y trosfeddiannu yw'r gallu i wneud penderfyniadau'n annibynnol ar berchnogion *Brunning*. Er enghraifft, ail-frandio'r tafarnau a manteisio ar y darbodion maint y byddai cyflwyno 54 o dafarnau newydd yn dod i bŵer prynu *Wetherspoon* ar gyfer cwrw. k Fodd bynnag, er y gallai cydsoddiad gostio ychydig iawn yn y tymor byr, bydd trosfeddiannu yn golygu y bydd yn rhaid iddo dalu am y buddiant llywodraethol yn *Brunning*, a all fod yn ddrud gan fod y busnes fel petai'n ehangu'n raddol ac yn dod yn fwy proffidiol. l Bydd yn rhaid i *Wetherspoon* hefyd fod yn ofalus nad yw cwsmeriaid *Brunning* yn cael eu gyrru i ffwrdd wrth golli'r gallu i arbrofi gyda chwrw unigryw. m

Bydd cydsoddiad neu drosfeddiannu yn arwain at broblemau tebyg i *Wetherspoon* — bydd gormod o ymyrraeth â brand *Brunning* yn creu'r risg o golli'r manteision a ddaw o dwf. n Efallai mai'r dull gorau posibl o wneud hyn fyddai ennill buddiant llywodraethol drwy drosfeddiannu, ond gan barhau â brand *Brunning* yn y tymor byr fel busnes ar wahân. Byddai *Wetherspoon* yn gallu tyfu'n gyflym iawn gyda'r tafarnau ychwanegol, a gallai elwa o'r wybodaeth a'r arbenigedd sydd gan berchnogion *Brunning* mewn marchnad fwy arbenigol o Byddai hyn yn golygu y gallai

Wetherspoon ddechrau datblygu mwy o nodweddion marchnad arbenigol yn ei dafarnau, fel arbofi gyda chwrw a bwydydd unigryw, gan ddenu cwsmeriaid newydd, o bosibl, a defnyddio prisiau premiwm ar gyfer cynnyrch o'r fath. Byddai hyn yn cynhyrchu mwy o elw. p Yn y tymor hir, efallai y gall *Wetherspoon* ailfrandio tafarnau *Brunning and Price* heb golli ei gwsmeriaid marchnad arbenigol, gan ennill mantais gystadleuol bellach a fydd yn cynyddu ei gyfran o'r farchnad. Gallai hyn arwain, yn y pen draw, at *Wetherspoon* yn dod yn arweinydd y farchnad. q

e **Dyfarnwyd 12/12 marc** a Mae'r myfyriwr yn rhoi diffiniad cywir o gydsoddiad yng nghyd-destun y ddau fusnes. Mae'n ennill 1 marc AA1. b Mae wedyn yn nodi canlyniad cydsoddiad i *Wetherspoon*, gyda thystiolaeth, gan ennill 1 marc AA2 ac 1 marc AA3. c, d ac e Mae'r myfyriwr yn datblygu mantais cydsoddiad yn fanwl, gyda thystiolaeth eto, gan ennill 2 farc AA2 ac 1 marc AA1. f, g a h Mae'r myfyriwr yn gwerthuso effaith cydsoddiad drwy ystyried safle *Brunning* yn y farchnad dafarnau ac yn gwneud defnydd rhagorol o derminoleg busnes perthnasol. Mae'n ennill 1 marc AA1 ac 1 marc AA4. i Mae'r myfyriwr yn datblygu'r problemau sydd ynghlwm â chydsoddiad ymhellach, gan wneud defnydd rhagorol o'r darn i ddod i gasgliad. Mae'n ennill 1 marc AA4. j Mae'r myfyriwr erbyn hyn yn nodi mantais trosfeddiannu, gan ennill 1 marc AA3. k, l a m Mae'r myfyriwr wedyn yn cymharu cydsoddiad â throsfeddiannu, gan werthuso manteision y ddau i *Wetherspoon* gyda thystiolaeth berthnasol. Mae'n ennill 1 marc AA4. n ac o Mae'r gymhariaeth yn parhau gyda'r myfyriwr yn rhoi argymhelliad rhesymegol pam y dylai *Wetherspoon* ddewis trosfeddiannu, ond mae'r uchafswm marciau eisoes wedi'u cyrraedd. p a q Mae'r myfyriwr yn mynd yn ei flaen i ystyried y strategaeth dymor hir y gallai *Wetherspoon* ei mabwysiadu ar gyfer trosfeddiannu a manteision yr argymhelliad hwn yng nghyd-destun y farchnad. Ond eto, mae'r uchafswm marciau eisoes wedi'u cyrraedd.

Mae Myfyriwr A yn rhoi gwerthusiad sydd wedi'i ddatblygu'n dda o gydsoddiad, ond dim ond dadl unochrog sydd ganddo ar gyfer trosfeddiannu, ac ymgais ar argymhelliad. At ei gilydd, ateb gradd B.

Mae ateb A* Myfyriwr B yn gwneud defnydd rhagorol o ystod eang o gysyniadau busnes ac mae'n cynnwys gwybodaeth fanwl am gydsoddiad a throsfeddiannu. Mae'n cymharu cryfderau a gwendidau'r ddau gydsyniad yng nghyd-destun amcan twf *Wetherspoon*. Tip da ar gyfer ysgrifennu'r atebion hirach hyn yw cymharu a chyferbynnu'r ddau opsiwn gyda'i gilydd. Mae'r myfyriwr yn gwneud hyn yn dda. Mae'r argymhelliad a'r casgliad yn ystyried y gwahanol elfennau MOPS yn y tymor byr a'r tymor hir yn ogystal â rhoi strategaeth ar gyfer gweithredu'r dull. Fodd bynnag, gallai myfyriwr fod wedi ysgrifennu ateb mwy cryno a dal ennill marciau llawn, gan roi mwy o amser iddo ateb y cwestiynau eraill.

2

Darn 1

Mae'r farchnad laeth yn y DU yn werth £2 biliwn y flwyddyn (Mehefin 2011). Gwerthir llaeth mewn litrau mewn cynwysyddion plastig clir a rhad, a hynny mewn archfarchnadoedd fel *Tesco* neu *Aldi*. Fel arfer, ychydig iawn o sylw sy'n cael ei roi i'r deunydd pacio ac eithrio'r enw a'r math o laeth. Mae un litr o laeth fel arfer yn cael ei werthu am £0.75 yn y rhan fwyaf o siopau, ac mae ganddo oes silff o 2-3 diwrnod.

Mae *Cravendale* yn frand llwyddiannus o laeth a lansiwyd gan *Arla*, sef cwmni o'r DU, yn 2006. Mae'n defnyddio math arbennig o hidlo (*filter*) i gael gwared ar fwy o amhuredd o'r llaeth na llaeth cyffredin.

Ynghyd â photeli plastig gwyn a labeli amlwg, mae gan y llaeth penodol hwn oes silff o hyd at dair wythnos. Mae gan *Cravendale* ymgyrch farchnata soffistigedig sy'n defnyddio hysbysebion teledu a'r cyfryngau cymdeithasol i godi ymwybyddiaeth o'i gynnyrch, ac mae'n gwario £5 miliwn y flwyddyn ar hysbysebu. Gwerthir *Cravendale* mewn archfarchnadoedd am bris premiwm o £1.15 y litr. Cyhoeddodd *Arla* elw o £8.3 miliwn yn 2012.

Mae *Tesco* bellach wedi lansio ei frand ei hun o laeth wedi'i hidlo ac yn ei werthu am y pris rhatach o £0.95 y litr.

Elastigedd incwm y galw (*YED*)

Gwerthuswch yr effaith debygol y bydd cynnydd mewn incwm defnyddwyr yn ei chael ar y galw am laeth fel yr hyn sy'n cael ei wneud gan *Arla*. (12 marc)

e Mae'r gorchymyn 'gwerthuswch' yn golygu bod angen i chi roi ateb sy'n seiliedig ar y darn, gan drafod manteision ac anfanteision yr effaith debygol y bydd cynnydd mewn incwm defnyddwyr yn ei chael ar y galw am laeth. Bydd angen i chi hefyd lunio barn ar yr effaith debygol ar y galw yng nghyd-destun y cwestiwn a chynnwys damcaniaethau busnes perthnasol eraill. Gellir defnyddio'r darn i ddarparu cymhwysiad.

AA2: am gymhwysiad da wrth nodi'r effaith debygol ar alw yng nghyd-destun llaeth *Arla*. Mae hyn yn werth hyd at 2 farc.

AA3: am roi dadansoddiad da o'r effaith debygol ar y galw am laeth *Arla*. Dylai'r dadansoddiad fod yn gytbwys, yn fanwl, wedi'i resymu'n dda ac wedi'i ddatblygu. Mae hyn yn werth hyd at 4 marc.

AA4: am roi gwerthusiad gwych o'r effaith debygol ar y galw am laeth *Arla*. Dylai'r manteision a'r anfanteision fod yn gytbwys a chanolbwyntio ar fater allweddol. Bydd angen i chi lunio barn gyda sylwadau ategol a rhoi pwys ar werth pob pwynt a wneir. Mae hyn yn werth hyd at 6 marc.

Myfyriwr A

Y galw yw swm y nwyddau neu'r gwasanaeth y mae cwsmer yn ei brynu am bris penodol. **a** Mae'r galw am laeth *Cravendale* gan *Arla* wedi bod yn uchel wrth i'r cwmni wneud elw o £8.3 miliwn yn 2012. **b** Un o fanteision y cynnydd mewn incwm defnyddwyr yw y byddan nhw'n prynu mwy o'r cynnyrch. **c** Bydd cromlin y galw'n symud i'r dde a bydd y galw'n codi, gan arwain at ddefnyddwyr yn prynu mwy o laeth wedi'i hidlo gan *Arla*. **d** Os gostwng a wnaiff incwm defnyddwyr, yna bydd cromlin y galw yn symud i'r chwith a bydd y galw'n gostwng. **e**. Bydd llaeth *Cravendale* yn gwneud mwy o arian os yw incwm defnyddwyr yn cynyddu. **f**

e **Dyfarnwyd 3/12 marc** [a] Mae'r myfyriwr yn rhoi diffiniad o'r galw, ond ni ddyfernir unrhyw farciau am wybodaeth yn y math hwn o gwestiwn. [b] Mae'r myfyriwr yn cysylltu cyd-destun elw *Arla* yn 2012 â'r galw, ond mae hyn yn dybiaeth wan. Gallai fod o ganlyniad i lawer o ffactorau eraill. Nid yw'r myfyriwr yn ennill dim marciau felly. [c] Esbonnir y fantais yn gywir yng nghyd-destun y galw ac mae'r dadansoddiad yn ennill 1 marc AA3. [d] Mae'r myfyriwr yn ceisio datblygu mantais gyda pheth cyd-destun. Mae'n ennill 1 marc AA3 ac 1 marc AA2. [e] Nid yw'r myfyriwr yn ateb y cwestiwn yn uniongyrchol ac felly nid yw'n ennill unrhyw farciau pellach. [f] Tybiaeth yn unig yw hyn heb unrhyw ddatblygiad o ran pam y gall *Arla* wneud mwy o elw ac nid yw'r defnydd o '*Cravendale*' yn ddigon i gael ei ddosbarthu fel cyd-destun gan nad yw'n ateb y cwestiwn. Nid yw'r myfyriwr yn ennill unrhyw farciau felly.

Myfyriwr B

Yn ôl y ddamcaniaeth elastigedd incwm y galw, un o fanteision incwm defnyddwyr yn cynyddu yw y bydd defnyddwyr yn prynu mwy o laeth *Cravendale*. [a] Y rheswm am hyn yw bod llaeth *Arla* yn debygol o gael ei ystyried yn foethusrwydd yn hytrach nag anghenraid gan ei fod yn ddrutach i'w brynu. [b] Mae hyn yn golygu ei fod yn elastig o ran incwm ac felly bydd defnyddwyr sydd fel arfer yn prynu llaeth arferol yn newid i *Cravendale* pan fydd ganddyn nhw fwy o incwm gwario. [c] Effaith debygol ar *Arla* yw y bydd ei elw yn cynyddu o'i lefel yn 2012, sef £8.3 miliwn. [d]

Fodd bynnag, bydd y cynnydd yng ngwerthiant *Arla* yn dibynnu ar nifer y cystadleuwyr eraill sydd hefyd yn gweithredu mewn marchnad laeth arbenigol. [e] Fel y nodir yn y darn, mae *Tesco* hefyd wedi ymuno â'r un farchnad, gan werthu cynnyrch tebyg i *Cravendale* am y pris rhatach o £0.95 y litr. [f] Gallai hyn gael ei ystyried yn brisio treiddio gan *Tesco* a fyddai'n cael effaith negyddol ar *Arla* wrth i gwsmeriaid gael eu denu o laeth *Cravendale* i laeth *Tesco*. [g] Byddai hyn yn golygu na fyddai elw *Arla* yn cynyddu mor sylweddol â phe na bai ganddo gystadleuaeth yn y farchnad. [h] Dylai *Arla* leihau ei bris fel y gall wneud mwy o elw ac ennill y gyfran o'r farchnad o *Tesco*. [i]

e **Dyfarnwyd 9/12 marc** [a] Mae'r myfyriwr yn rhoi mantais o elastigedd incwm y galw ac felly'n ennill 1 marc AA3. [b] Esbonnir y fantais gyda'r awgrym y byddai'r galw yn cynyddu wrth i incwm defnyddwyr gynyddu gan fod llaeth *Cravendale* yn gynnyrch moethus. Mae'r awgrym hwn yn cynnwys digon o gyd-destun o'r darn i ennill 1 marc AA3 ac 1 marc AA2. [c] Mae'r myfyriwr yn datblygu ymhellach effaith y cynnydd mewn incwm ar laeth *Cravendale* drwy ei gysylltu ag elastigedd incwm. Mae'n ennill 1 marc AA3 ac 1 marc AA2. [d] Mae'r myfyriwr wedyn yn cysylltu'r pwynt ag effaith debygol ar elw *Arla* gan ddefnyddio cyd-destun. Mae'n ennill 1 marc AA4. [e] Caiff effaith negyddol bosibl cystadleuwyr eraill yn y farchnad ei chyflwyno ond mae angen datblygu hyn ymhellach, felly nid yw'n ennill marciau. [f] Mae'r myfyriwr yn cysylltu *Tesco* yn gywir fel cystadleuydd, gan ddefnyddio'r darn. Ond ni sonnir eto am yr effaith ei hun felly dim marciau eto. [g] a [h] Dangosir yr effaith negyddol a gaiff *Tesco* ar *Arla*, gyda strategaeth brisio bosibl *Tesco* yn cael ei nodi. Mae'r effaith ar segment y farchnad ac elw *Arla* hefyd yn cael eu gwerthuso. Mae'r myfyriwr yn ennill 1 marc AA3 a 2 farc AA4. [i] Mae'r myfyriwr yn ceisio llunio barn ar yr hyn y gallai *Arla* ei wneud i leihau effaith *Tesco* ar ei werthiant llaeth, ond nid yw'r pwynt yn cael ei ddatblygu ac nid yw'n dangos llawer o gyswllt â'r cwestiwn, felly nid yw'n ennill marciau pellach.

Mae Myfyriwr A yn nodi mantais gyffredinol iawn, felly nid yw'n llwyddo i ennill mwy na marciau isel am ei ddadansoddiad. Gwendid sylfaenol y myfyriwr yw cymhwyso'n wael i'r cyd-destun a gwerthuso'r materion allweddol yn wael. Gallai hyn fod wedi bod yn ateb llawer gwell pe bai'r myfyriwr wedi defnyddio'r darn yn well yn ei ateb. Mae'n ennill gradd U yn unig.

Mae Myfyriwr B yn defnyddio'r darn yn dda i nodi mantais a risg yn eu cyd-destun, ond mae'n crwydro i ffwrdd o'r cwestiwn yn ail ran yr ateb. Mae'r ateb yn brin o werthusiad datblygedig sy'n ystyried ystod ehangach o faterion yn ymwneud â'r cwestiwn. Mae'r dyfarniad a'r argymhelliad ynghylch beth ddylai *Arla* ei wneud yn brin o ddatblygiad, felly dim ond marciau gwerthuso lefel isel a ddyfernir i'r myfyriwr. At ei gilydd, gradd B.

Darn 2

Pinewood Group yw'r prif gwmni ffilmiau yn y DU. Yn 2015, gwnaeth ei refeniw mwyaf erioed, sef £75 miliwn, £11 miliwn yn fwy na'r refeniw yn 2014. Mae'r elw hefyd ar y lefel uchaf erioed. Mae'r stiwdio wedi penderfynu buddsoddi £200 miliwn mewn dyblu ei maint, oherwydd y lefel uchel o alw.

Mae Ian Smith, cynhyrchydd *Mad Max: Fury Road*, yn credu bod *Pinewood Studios* yn llwyddiannus oherwydd bod y Llywodraeth wedi cynnig cymhellion treth i gwmnïau i ddefnyddio stiwdios y DU yn lle rhai tramor, ynghyd â'r sgiliau o'r radd flaenaf sydd gan y stiwdio i wneud ffilmiau. Yn 2015, gwerth cynhyrchu ffilm a theledu oedd £1.5 biliwn, gyda £1.2 biliwn yn dod o wledydd tramor fel UDA. Mae'r gost o wneud ffilm yn y DU yn uchel, gan fod gofyn cael gweithwyr medrus iawn. Fodd bynnag, mae cynhyrchwyr yn fodlon talu'r costau hyn gan fod *Pinewood Studios* yn dangos yn gyson lefel uchel o ddibynadwyedd ac ansawdd o ran sicrhau bod ffilmiau'n cael eu gwneud ar amser ac o fewn y gyllideb.

Mae yna 36 o stiwdios sain yn *Pinewood Studios* ynghyd â 31 o safleoedd tramor sy'n helpu'r cwmni i gynnal mantais gystadleuol mewn marchnadoedd sy'n mynd yn fwyfwy byd-eang. Mae China yn dechrau dod yn gystadleuydd o ddifri, gyda chwmnïau fel y *Wanda Group* (y perchennog sinemâu mwyaf yn y byd) yn awyddus i adeiladu 45 o stiwdios newydd a fydd yn cystadlu'n uniongyrchol â *Pinewood Studios*. Ond nid yw *Wanda* yn fygythiad eto. Er bod gan China gostau llawer is o ran staff, nid yw ei sgiliau yn ddigon soffistigedig eto o ran cynhyrchu ffilmiau. Fodd bynnag, bydd angen i *Pinewood Studios* gadw ei safonau yn y deng mlynedd nesaf, gan ei bod yn debygol y bydd *Wanda* yn dod yn ddewis amgen go iawn yn y byd cynhyrchu ffilmiau.

Darn 3

Mae *Pinewood Studios* wedi buddsoddi £200 miliwn mewn prosiect i ehangu ei gyfleusterau fel y gall y stiwdio fanteisio ar y galw rhyngwladol cynyddol am gynhyrchu ffilmiau yn y DU. Bydd yr arian yn cael ei fuddsoddi dros y 15 mlynedd nesaf, ac mae *Pinewood Studios* yn disgwyl cyfradd adennill o 12% ar gyfartaledd dros oes y buddsoddiad.

Bydd yr arian yn galluogi'r stiwdios i ychwanegu 100,000 m^2 o fannau cynhyrchu newydd, gan gynnwys 12 llwyfan, sawl gweithdy, a swyddfeydd cynhyrchu. Mae disgwyl i economi'r DU elwa wrth i £194 miliwn o fuddsoddiad preifat gael ei wneud yn y prosiect, a hynny allan o'r cyfanswm o £200 miliwn. Rhagwelir y bydd 8,100 o swyddi llawn amser yn cael eu creu, gyda 3,100 o swyddi ychwanegol yn y maes gwasanaethau cymorth. Bydd economi'r DU yn elwa gyda £36 miliwn y flwyddyn mewn trethi a £37 miliwn y flwyddyn mewn allforion ychwanegol o'r DU.

Darn 4

Datganiad cenhadaeth *Pinewood*

- Parhau i greu'r cyrchfan mwyaf yn y DU ar gyfer ffilmiau, teledu a'r cyfryngau.
- Gwella treftadaeth ein brand.
- Rhagori ar ddisgwyliadau ein cwsmeriaid drwy ein hymrwymiad i broffesiynoldeb, ansawdd y gwasanaeth a chynnig mantais gynaliadwy.
- Cynyddu'r gwerth ar gyfer ein holl randdeiliaid.

O wefan *Pinewood Group*, 9 Awst 2016

Darn 5

Proffil o Ivan Dunleavy, Prif Weithredwr *Pinewood Studios*

Mae Ivan Dunleavy yn hen gyfarwydd â gorfod rhoi'r gorau i'w swyddfeydd i gwsmeriaid fel y rhai sy'n gwneud y ffilm James Bond nesaf: 'rydyn ni'n gwasgu ein hunain i mewn'. Yn ôl Ivan Dunleavy, mae sicrhau bod cwsmeriaid yn teimlo'n gartrefol a chynnig iddyn nhw'r cyfleusterau cynhyrchu a'r staff cywir yn allweddol i lwyddiant *Pinewood Studios*.

Mae wedi bod yn Brif Weithredwr *Pinewood Studios* ers 2000 ac mae'n teimlo bod ei bersonoliaeth a'i brofiad o Hollywood yn caniatáu iddo barhau i ganolbwyntio ar sicrhau bod criwiau cynhyrchu yn cael yr holl sylw a'r arbenigedd sydd eu hangen arnyn nhw i gynhyrchu'r ffilmiau mwyaf gwefreiddiol ar gyfer y carped coch. Yn ôl Ivan Dunleavy: 'Rydyn ni yno i ddarparu gwasanaethau a lle i bobl sydd am fynd ymlaen â'r gwaith'.

Mae Ivan Dunleavy yn credu mai rôl *Pinewood Studios* yw grymuso gwneuthurwyr i ragori mewn creu ffilmiau rhagorol. Mae'r defnydd cyson o'r fformiwla lwyddiannus hon wedi caniatáu i'r busnes gynllunio ar gyfer y dyfodol a bod yn llwyddiannus. Nod y Prif Weithredwr yw caniatáu i gynhyrchwyr ffilmiau (fel Ridley Scott ar set *The Martian*) harneisio creadigrwydd ac arbenigedd *Pinewood Studios*, fel bod y gwneuthurwyr ffilmiau â'r sêr yn disgleirio, tra bo *Pinewood Studios* yn hapus i aros ynghudd i'r gynulleidfa.
Mae Ivan Dunleavy yn cyfaddef ei fod yn mwynhau natur fythol-gyfnewidiol y gwaith o gynnal stiwdio ffilmiau, fel y mae ei holl staff hynod fedrus. Mae'n credu mai ymdrech tîm yw rhedeg *Pinewood Studios* a bydd yn parhau i ragori.

Coed penderfyniadau

	Tebygolrwydd o lwyddiant	Tebygolrwydd o fethiant	Llwyddiant amcangyfrifedig yn swm yr elw/colled	Methiant amcangyfrifedig yn swm yr elw/colled
Lansio ymgyrch newydd (B)	0.2	0.8	£15 miliwn	-£2 miliwn
Cadw'r hen ymgyrch (C)	0.4	0.6	£7 miliwn	-£1 miliwn
Gwneud dim	0	0	£0 miliwn	£0 miliwn

Mae *Pinewood Studios* yn gobeithio lansio ymgyrch hysbysebu ar gyfer datblygu stiwdio newydd ac, er mwyn ei helpu i wneud penderfyniadau, mae wedi adeiladu, yn rhannol, goeden benderfyniadau.

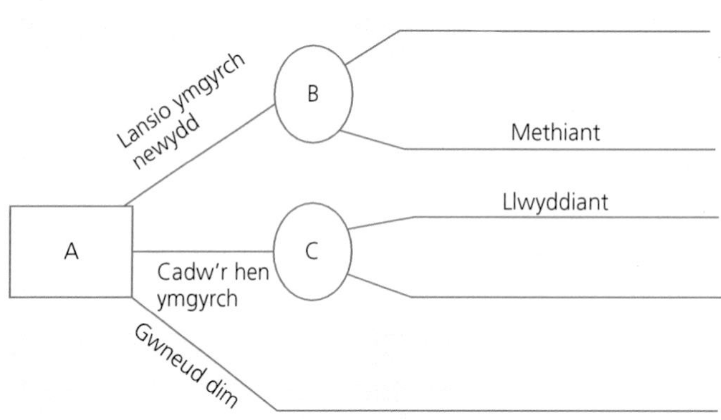

Coeden benderfyniadau ar gyfer yr ymgyrch hysbysebu gan *Pinewood Studios* ar gyfer datblygu stiwdio newydd

Defnyddiwch yr wybodaeth yn y tabl uchod i adeiladu gweddill diagram y goeden benderfyniadau a chyfrifo'r gwobrwyon ariannol disgwyliedig ar gyfer opsiynau B, C a gwneud dim. (6 marc)

ⓔ Mae'r gair 'adeiladu' yn golygu bod angen i chi gwblhau'r diagram o'r data a'r wybodaeth a ddarperir. Dylech ystyried unrhyw wybodaeth benodol a geir yn y darnau neu'r cyd-destun a ddarperir.

Mae'r gorchymyn 'cyfrifwch' yn golygu bod angen i chi gwblhau cyfrifiad fesul cam gan ddefnyddio data o'r wybodaeth a ddarperir.

AA2: am adeiladu, yn gywir, y rhan sy'n weddill o ddiagram y goeden benderfyniadau (gwerth 2 farc), ac am gyfrifo a chymhwyso'r fformiwla debygolrwydd gywir gan ddefnyddio'r ffigurau cywir o'r goeden benderfyniadau (gwerth hyd at 4 marc). Mae marc AA2 ar gael am nodi'r fformiwla gywir.

Myfyriwr A

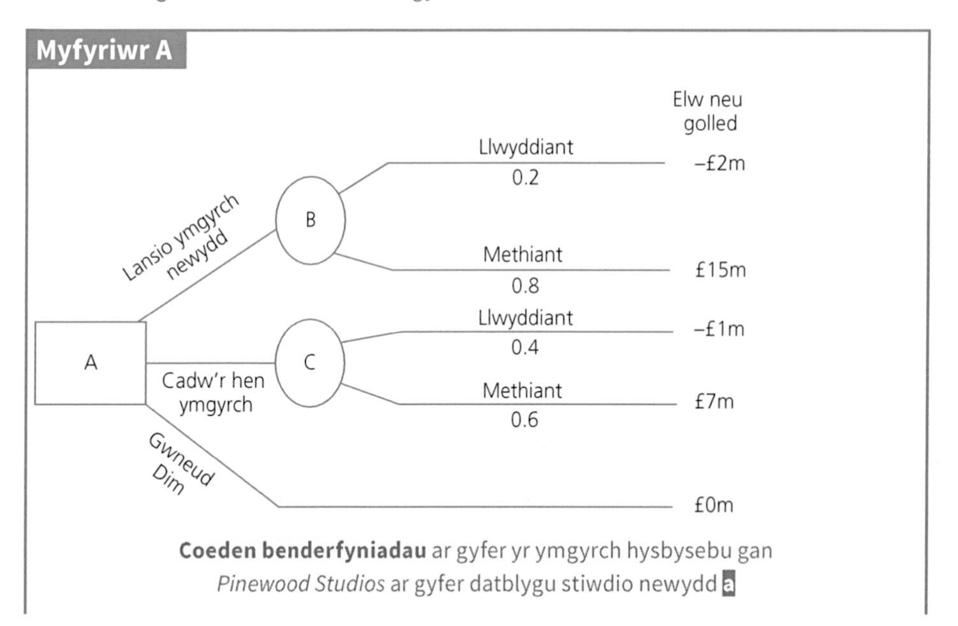

Coeden benderfyniadau ar gyfer yr ymgyrch hysbysebu gan *Pinewood Studios* ar gyfer datblygu stiwdio newydd **a**

Opsiwn B:

Llwyddiant	= £15 miliwn × 0.2		=	£3 miliwn
Methiant	= -£2 miliwn × 0.8 =			-£1.6 miliwn **b**
Cyfanswm	=			£1.4 miliwn

Opsiwn C:

Llwyddiant	=	£7 miliwn × 0.4	=	£2.8 miliwn
Methiant	=	-£1 miliwn × 0.6	=	-£0.6 miliwn
Cyfanswm	=			£2.2 filiwn **c**

e **Dyfarnwyd 3/6 marc** **a** Mae'r myfyriwr yn ychwanegu'r tebygolrwydd o lwyddiant neu fethiant yn gywir i'r goeden benderfyniadau, gan ennill 1 marc AA2. Ond mae'n drysu ffigurau'r elw neu golled, gan eu rhoi nhw yn y canghennau anghywir. Nid yw felly'n ennill dim marciau pellach. **b** Mae'r myfyriwr yn defnyddio'r ffigurau cywir o'r goeden benderfyniadau ar gyfer llwyddiant neu fethiant er mwyn cyfrifo opsiwn B a'r cyfartaledd pwysol, gan ennill 1 marc AA2. **c** Mae'r myfyriwr yn defnyddio'r ffigurau cywir i gyfrifo opsiwn C a'r cyfartaledd pwysol, gan ennill 1 marc AA2 arall. Fodd bynnag, ni ddangosir unrhyw gyfrifiadau ar gyfer yr opsiwn 'gwneud dim', felly collir marciau yma.

Myfyriwr B

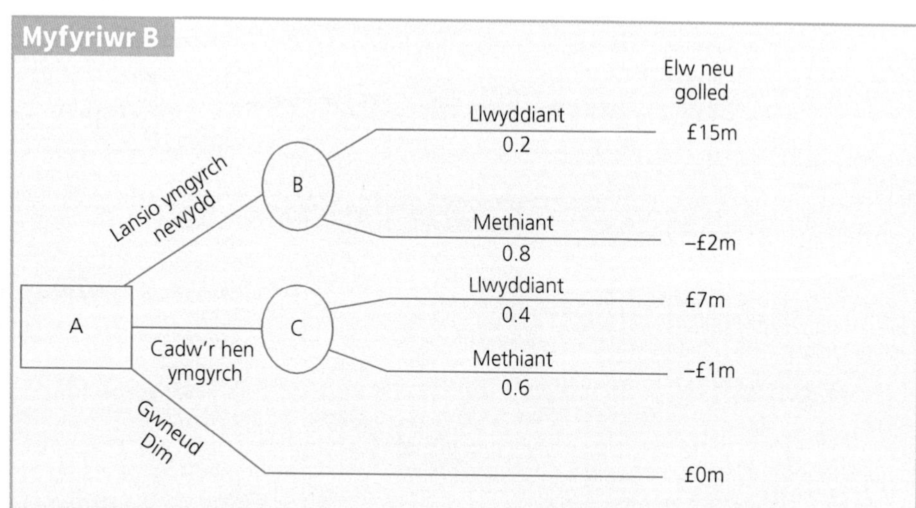

Coeden benderfyniadau ar gyfer yr ymgyrch hysbysebu gan *Pinewood* ar gyfer datblygu stiwdio newydd **a**

Tebygolrwydd llwyddiant ar gyfer pob nod:

elw neu golled × llwyddiant neu fethiant wedi'i fynegi fel cyfartaledd pwysol **b**

Opsiwn B:

Llwyddiant	=	£15 miliwn × 0.2	=	£3 miliwn
Methiant	=	-£2 miliwn × 0.8	=	-£1.6 miliwn **c**
Cyfanswm	=			£1.4 miliwn **d**

Opsiwn C:

Llwyddiant	=	£7 miliwn × 0.4	=	£2.8 miliwn
Methiant	=	-£1 miliwn × 0.6	=	-£0.6 miliwn
Cyfanswm	=			£2.2 miliwn e

Gwneud dim:

Cyfanswm	=	£0 miliwn f

e **Dyfarnwyd 6/6 marc** a Mae'r myfyriwr yn anodi pob cangen o'r goeden benderfyniadau yn fanwl gywir, gan fewnosod y ffigurau cywir. Mae'n ennill 2 farc AA2. b Mae'r myfyriwr yn nodi'r fformiwla ar gyfer cyfrifo'r tebygolrwydd llwyddiant neu fethiant ar gyfer y gwahanol opsiynau fel cyfartaledd pwysol. Mae'n ennill 1 marc. c Mae'r myfyriwr yn defnyddio'r ffigurau cywir o'r goeden benderfyniadau ar gyfer llwyddiant a methiant er mwyn cyfrifo opsiwn B a'r cyfartaledd pwysol, gan ennill 1 marc AA2. d Mae'r myfyriwr yn crynhoi'r ffigur yn gywir ar gyfer opsiwn A, gan ennill 1 marc AA2. e Mae'r myfyriwr yn cyfrifo'n gywir ar gyfer opsiwn C, a'r cyfartaledd pwysol, gan ennill 1 marc. f Mae'r myfyriwr yn dangos, yn gywir, nad oes gwerth o gwbl i'r opsiwn 'gwneud dim', ond gan fod y nifer uchaf o farciau wedi'i gyrraedd, ni all ennill dim mwy o farciau AA2 am hyn.

Nid yw myfyriwr A yn dilyn y cyfarwyddiadau yn y cwestiwn yn ddigon agos, gan golli allan ar 2 farc y gallai fod wedi'u cael yn hawdd (gradd D).

Mae gan fyfyriwr B ddealltwriaeth ardderchog o'r cyfrifiadau ac mae'n cynhyrchu'r cyfartaleddau pwysol cywir. Gwnaeth y myfyriwr bopeth a ofynnwyd yn y cwestiwn, gan gynnwys yr opsiwn 'gwneud dim' er mwyn ennill 6 marc hawdd (gradd A*).

Datganiad cenhadaeth

Esboniwch un rheswm pam y gallai datganiad cenhadaeth helpu busnes fel *Pinewood Studios* gyda'i gynlluniau ehangu. (4 marc)

e Mae'r gorchymyn 'esboniwch' yn golygu bod angen i'ch ateb gynnwys diffiniad manwl o ddatganiad cenhadaeth fel ymadrodd busnes, cysylltu hyn â'r cyd-destun, a rhoi mantais neu anfantais sy'n briodol i'r cwestiwn, gan gyfiawnhau'r pwynt.

AA1: am roi diffiniad o ddatganiad cenhadaeth neu reswm pam y gallai datganiad cenhadaeth helpu gyda chynlluniau ehangu *Pinewood*. Mae hyn yn werth 1 marc.

AA2: am gymhwyso'r defnydd o ddatganiad cenhadaeth i *Pinewood Studios*, gan ddefnyddio'r deunydd yn y darn. Mae hyn yn werth hyd at 2 farc.

AA3: am esbonio'r fantais o ddefnyddio datganiad cenhadaeth i helpu gyda chynlluniau ehangu *Pinewood Studios*. Mae hyn yn werth 1 marc.

Myfyriwr A

Mae datganiad cenhadaeth yn ddatganiad byr o weledigaeth a gwerthoedd cwmni sy'n helpu i osod nodau ac amcanion. [a] Gall datganiad cenhadaeth helpu'r busnes gan y bydd yn caniatáu iddo edrych ar y cyfeiriad y mae am symud iddo o'i gymharu â'r farchnad a'r diwydiant y mae'n gweithredu ynddo. [b] I *Pinewood Studios*, y genhadaeth yw creu'r cyrchfan mwyaf yn y DU ar gyfer y diwydiant ffilm a chyfryngau. [c]

ⓔ **Dyfarnwyd 2/4 marc** [a] Mae'r myfyriwr yn rhoi diffiniad da o ddatganiad cenhadaeth, gan ennill 1 marc AA1. [b] Mae'r myfyriwr yn nodi mantais o ddatganiad cenhadaeth sy'n ddigonol am 1 marc AA3. [c] Mae'r myfyriwr yn dyfynnu rhan o ddatganiad cenhadaeth *Pinewood Studios* o'r darn, ond gan nad yw hyn yn cysylltu'n ôl i ateb y cwestiwn, nid yw'n ennill marciau.

Myfyriwr B

Datganiad byr o weledigaeth a gwerthoedd cwmni yw datganiad cenhadaeth, sy'n helpu i bennu nodau ac amcanion. [a] Gan fod *Pinewood Studios* newydd ddechrau ehangiad gwerth £200 miliwn o'i fusnes,[b] gall ddefnyddio'r datganiad cenhadaeth i gyfathrebu diben y dyblu hwn mewn maint i randdeiliaid fel ei gyfranddalwyr a'i staff. [c] Er enghraifft, dywed y datganiad cenhadaeth fod *Pinewood Studios* am roi mwy o werth i randdeiliaid fel ei gyfranddalwyr, [d] felly byddai hyn yn cyfleu i'w gyfranddalwyr fod y prosiect ehangu gwerth £200 miliwn wedi'i anelu, yn y pen draw, at gynyddu'r £75 miliwn o elw a wnaed. [e]

ⓔ **Dyfarnwyd 4/4 marc** [a] Mae'r myfyriwr yn rhoi diffiniad o ddatganiad cenhadaeth am 1 marc AA1. [b] Mae'r myfyriwr yn rhoi cymhwysiad o'r datganiad cenhadaeth ar gyfer y busnes, gan ennill 1 marc AA2. [c] Mae'r myfyriwr yn datblygu'r cymhwysiad hwn ymhellach ac yn ennill 2 farc AA2 arall. [d] a [e] Mae'r myfyriwr yn dadansoddi'n gywir y fantais o ddefnyddio datganiad cenhadaeth i helpu'r busnes i gyfleu negeseuon cadarnhaol i'w randdeiliaid, gan ennill 1 marc AA3. Ceir dau ddefnydd pellach o dystiolaeth o'r darn, ond gan fod y nifer uchaf o farciau AA2 wedi'i gyflawni, nid yw'r myfyriwr yn ennill unrhyw glod pellach.

Mae Myfyriwr A yn sgorio 2 farc (gradd D) ond mae'n colli allan ar y ddau farc am gymhwysiad. Peidiwch â dyfynnu o'r darn yn unig — dim ond pan mae tystiolaeth yn cael ei defnyddio i ateb y cwestiwn y dyfernir marciau am gymhwysiad.

Mae ateb myfyriwr B (gradd A*) yn dangos dealltwriaeth ardderchog o'r defnydd o ddatganiad cenhadaeth mewn perthynas â'r busnes. Mae hefyd yn defnyddio tystiolaeth o'r darn yn arbennig o dda er mwyn cefnogi'r pwyntiau a wnaed.

Cyfradd Adennill Gyfartalog (*ARR*)

Gan gyfeirio at y data, gwerthuswch ddefnyddioldeb defnyddio cyfradd adennill gyfartalog ar gyfer *Pinewood Studios*. (10 marc)

ⓔ Mae'r gorchymyn 'gwerthuswch' yn golygu bod angen i chi roi ateb sy'n seiliedig ar y darn ac sy'n trafod manteision ac anfanteision defnyddio'r gyfradd adennill gyfartalog (*average rate of return* — ARR) ar gyfer *Pinewood Studios*. Mae angen i chi lunio barn am ddefnyddioldeb ARR yng nghyd-destun y darn a chynnwys damcaniaethau busnes perthnasol eraill. Gellir defnyddio'r darn i ddarparu'r dystiolaeth ar gyfer eich ateb a dylid cyfeirio ati. Y sgil uchaf sydd ei angen yw gwerthuso.

AA2: am gymhwysiad da o ddefnyddioldeb ARR ar gyfer *Pinewood Studios*. Dylech gyfeirio'n glir at y darn i gefnogi eich dadleuon. Mae hyn yn werth hyd at 2 farc.

AA3: am roi dadansoddiad da o fanteision neu anfanteision ARR ar gyfer *Pinewood Studios*. Mae hyn yn werth hyd at 2 farc.

AA4: am roi gwerthusiad gwych o'r ffactorau allweddol sy'n effeithio ar ddefnyddioldeb ARR, a aseswyd yng nghyd-destun *Pinewood Studios*. Dylech lunio barn sy'n cael ei chefnogi am ARR yng nghyd-destun y cwestiwn, o bosibl gydag argymhelliad am y strategaeth orau. Mae hyn yn werth hyd at 6 marc.

Myfyriwr A

Mae'r gyfradd adennill gyfartalog (ARR) yn fath o werthusiad buddsoddi. **a**

$$\text{ARR} = \frac{\text{Adenillion net (elw) y flwyddyn}}{\text{gwariant dechreuol.}} \times 100$$ **b**

Yr ARR ar gyfer y stiwdios newydd yn *Pinewood Studios* yw 12%, sy'n fuddsoddiad da gan fod hyn yn golygu y bydd buddsoddwyr sy'n darparu cyllid ar gyfer y datblygiad yn cael yr arian hwn yn ôl am y 15 mlynedd y disgwylir i'r prosiect ei gymryd. **c** Fodd bynnag, efallai na fydd hyn cystal ag y mae'n ymddangos, gan ei bod yn bosibl y bydd buddsoddwr yn gallu cael cyfradd adennill fwy o brosiect arall. **d** Mae angen cymharu'r ARR â buddsoddiadau eraill cyn y gall unrhyw un benderfynu a yw'n brosiect da i roi arian iddo ai peidio. **e** Felly, gall ARR fod yn ddefnyddiol i *Pinewood Studios* wrth ddangos i ddarpar fuddsoddwyr faint y gallan nhw ei gael o'r prosiect, ond mae cost cyfle (*opportunity cost*) i hyn. **f**

e **Dyfarnwyd 4/10 marc** **a** Mae'r myfyriwr yn rhoi rhywfaint o wybodaeth am beth yw cyfradd adennill gyfartalog (ARR) ond nid yw'n ddigonol i ennill marc. **b** Mae'r myfyriwr yn rhoi'r fformiwla ar gyfer cyfrifo'r ARR, sy'n gywir ac yn dangos ymateb damcaniaethol. Mae'n ennill 1 marc AA1. **c** Mae'r myfyriwr yn ceisio dadansoddi'r ARR gan ddefnyddio'r cymhwysiad perthnasol, ond gan fod y dadansoddiad yn wan ac yn seiliedig ar ragdybiaethau, dim ond 1 marc AA2 ac 1 marc AA3 y mae'r rhain yn eu hennill. **d** ac **e** Mae'r myfyriwr yn ceisio gwerthuso lefel yr ARR, ond ychydig o ddatblygiad sydd ganddo, felly dim ond 1 marc AA4 a enillir ganddo. **f** Mae'r myfyriwr yn ceisio dod i gasgliad, ond nid yw wedi'i ddatblygu felly nid yw'n ennill marciau pellach.

Myfyriwr B

Mae cyfradd adennill gyfartalog (ARR) yn rhannu'r elw net cyfartalog o'r buddsoddiad yn ôl cost y buddsoddiad dechreuol i gael y gymhareb neu'r adenillion y gellir eu disgwyl, wedi'i fynegi fel canran. **a** Un fantais o ARR i *Pinewood Studios* yw ei fod yn ddull syml a chydnabyddedig o alluogi darpar fuddsoddwyr i weld pa adenillion y gallan nhw eu cael ar y prosiect ehangu gwerth £200 miliwn. **b** Er enghraifft, yn ôl y darn, rhagwelir y bydd gan fuddsoddwyr ARR o 12%, felly gall *Pinewood Studios* ddangos y byddai ei gynllun ehangu yn rhoi gwell elw iddyn nhw o gymharu â phrosiectau eraill neu gyfraddau cynilo cyfredol. **c** O ganlyniad, bydd *Pinewood Studios* yn ei chael yn haws codi arian ar gyfer y prosiect ehangu ac, o bosibl, yn gallu sicrhau cyfradd well o gyllid gan fuddsoddwyr na phe bai'n ceisio benthyg yr arian gan fanc. **d** Byddai *Pinewood Studios* hefyd yn gallu edrych ar gost cyfle unrhyw arian y mae'r busnes yn ystyried ei fuddsoddi yn y prosiect ehangu, a allai fod y £6 miliwn dros y £194 miliwn sy'n dod gan fuddsoddwyr preifat, efallai o elw wrth gefn **e** Bydd yr

ARR yn ei helpu i benderfynu a gaiff ei arian ei wario'n well ar y prosiect ehangu neu efallai ar y costau cymharol uchel sydd gan weithwyr a thechnegwyr medrus. f

Fodd bynnag, mae'r ARR yn dibynnu ar ba mor gywir yw'r llifau arian parod rhagamcanol. g Gan fod disgwyl i'r prosiect ehangu gwerth £200 miliwn gymryd tua 15 mlynedd, y risg yw y bydd y llifau arian parod, a ragwelir ar gyfer ymhell yn y dyfodol, yn dueddol o fod yn anghywir. h Er enghraifft, gall stiwdios yn China, fel y rhai a adeiladwyd gan y *Wanda Group*, gymryd llawer mwy o fusnes oddi wrth *Pinewood Studios* nag y mae'r rhagfynegiadau yn eu hawgrymu, sy'n golygu y gallai'r ARR fod gryn dipyn yn llai nag a ddyfynnir ar hyn o bryd. i Felly, mae'n bosibl na fydd yr ARR yn ddefnyddiol i *Pinewood Studios* i ennill buddsoddwyr ar gyfer y prosiect, gan fod y rhai sy'n ceisio buddsoddi yn mynd i fod yn ddrwgdybus o'r broblem hon a'r risgiau uwch i'w harian. j Efallai y bydd *Pinewood Studios* yn gweld nad yw'n ennill digon o fuddsoddwyr i ariannu'r prosiect ehangu a fyddai'n effeithio, yn y pen draw, ar allu'r busnes i gystadlu â chystadleuwyr byd-eang. k

Dylai *Pinewood Studios* ddefnyddio'r ARR, yn ogystal â mesurau eraill o werthuso buddsoddiadau er mwyn rhoi cymaint â phosibl o wybodaeth i fuddsoddwyr, gan sicrhau bod arian yn cael ei godi gyda chyn lleied o risgiau â phosibl i fuddsoddwyr. l Er enghraifft, byddai defnyddio llif arian gostyngol yn fesuriad cywirach o'r risg y byddai gan fuddsoddwyr fwy o hyder ynddi wrth ystyried y prosiect gan ei fod yn cyfrifo gwerth presennol llif arian buddsoddiad yn y dyfodol er mwyn dod i werth cyfredol y buddsoddiad, sef y gwerth presennol net. m Gyda gofyn am gymaint o fuddsoddiad dros gyfnod o 15 mlynedd, bydd angen i *Pinewood Studios* ddarparu gwybodaeth gwerthuso buddsoddiad fanwl i sicrhau bod y prosiect yn cael ei ariannu'n llwyddiannus a bod ei fantais gystadleuol yn cael ei chynnal. Felly bydd angen i'r ARR fod yn un o amrywiaeth o adnoddau a ddefnyddir i sicrhau bod y buddsoddiad yn cael ei wneud yn llwyddiannus. n

e Dyfarnwyd 10/10 marc a Mae'r myfyriwr yn rhoi diffiniad o Gyfradd Adennill Gyfartalog (ARR), gan ennill 1 marc AA1 am ymateb damcaniaethol cyfyngedig. b a c Mae'r myfyriwr yn defnyddio'r darn i ddangos canlyniad o fantais ARR sy'n cael ei ddatblygu gydag enghraifft dda. Mae'n ennill 1 marc AA2 ac 1 marc AA3. d Mae'r myfyriwr yn datblygu canlyniad ARR gan fod yn berthnasol i *Pinewood Studios*. Mae'n ennill 1 marc AA3. e a f Mae mantais arall o ARR yn cael ei datblygu gyda defnydd da o'r dystiolaeth, ond mae'n unochrog felly dim ond 1 marc AA4 a enillir ganddo. g, h, i, j a k Mae'r myfyriwr yn gwerthuso'r ARR gan ddefnyddio tystiolaeth ardderchog o'r darn. Mae'n ennill 2 farc AA4. l ac m Mae'r myfyriwr yn rhoi dyfarniad rhesymedig ar ddefnyddioldeb ARR ac yn gwneud awgrym clir ynglŷn â dull o werthuso buddsoddiadau a allai fod yn fwy effeithiol. Mae hefyd yn nodi rhesymau pam sy'n cael eu cefnogi gyda thystiolaeth. Mae'n ennill 3 marc AA4. n Mae'r myfyriwr yn datblygu'r dyfarniad i ffurfio casgliad rhesymedig sy'n ystyried cyd-destun yr ARR a'r elfennau MOPS, ond mae'r myfyriwr eisoes wedi sgorio uchafswm y marciau, felly ni all ennill clod am hyn.

Mae Myfyriwr A yn rhoi ateb sydd wedi'i ddatblygu'n wael (gradd E). Ceir tystiolaeth o sgiliau lefel uwch fel defnyddio'r darn i ateb y cwestiwn, ond mae angen ymhelaethu ar yr ateb er mwyn sgorio'n uwch.

Mae Myfyriwr B yn gwneud defnydd rhagorol o ystod eang o gysyniadau busnes ac mae'n dangos lefel ragorol o ddadansoddiad o'r dyfyniadau er mwyn rhoi gwerthusiad eang wrth ateb y cwestiwn (gradd A*).

Amcanion corfforaethol

Trafodwch bwysigrwydd amcanion corfforaethol i fusnes tynnu'r fel allan *Pinewood Studios*. (12 marc)

ⓔ Mae'r gorchymyn 'trafodwch' yn golygu y dylech archwilio pwysigrwydd amcanion corfforaethol yn fanwl, gan fynd i'r afael â manteision ac anfanteision gydag ateb sy'n seiliedig ar ddarn. Bydd angen i chi lunio barn a chasgliad am bwysigrwydd amcanion corfforaethol yng nghyd-destun y darn a chynnwys damcaniaethau busnes perthnasol eraill.

AA1: am ddangos dealltwriaeth dda o amcanion corfforaethol drwy, er enghraifft, ddiffinio amcanion corfforaethol. Mae hyn yn werth hyd at 2 farc.

AA2: am gymhwyso amcanion corfforaethol yn dda yng nghyd-destun *Pinewood Studios*. Mae hyn yn werth hyd at 2 farc.

AA3: am ddadansoddiad ardderchog o pam y mae amcanion corfforaethol yn bwysig i *Pinewood Studios*. Dylech drafod manteision ac anfanteision a'u cymhwyso'n gywir i'r cyd-destun busnes. Mae hyn yn werth hyd at 4 marc.

AA4: am werthusiad ardderchog o bwysigrwydd amcanion corfforaethol i *Pinewood Studios*. Dylai'r manteision a'r anfanteision a nodwch gysylltu â'i gilydd a dylai eich gwerthusiad fod yn gydlynol ac wedi'i ddatblygu'n dda. Dylech lunio barn am bwysigrwydd amcanion corfforaethol yng nghyd-destun y cwestiwn. Mae hyn yn werth hyd at 4 marc.

Myfyriwr A

Nodau sy'n cael eu pennu gan fusnes mawr fel cwmni cyfyngedig cyhoeddus yw amcanion corfforaethol. **a** Mae amcanion corfforaethol yn bwysig oherwydd mae Darn 2 yn dweud bod elw *Pinewood Studios* wedi codi a bod y busnes yn buddsoddi £200 miliwn mewn prosiect ehangu, gan ddangos bod ganddo set glir o nodau y mae ei staff yn eu deall ac yn gallu gweithio tuag atyn nhw. **b** Heb amcanion corfforaethol, ni fyddai *Pinewood Studios* yn gallu cael cynllun clir i'w helpu i frwydro yn erbyn y globaleiddio presennol yn y diwydiant ffilmiau. **c** Mae amcanion corfforaethol yn annog *Pinewood Studios* i asesu'r cyfleoedd a'r bygythiadau o fewn ei farchnad ddewisedig, gan sicrhau bod cystadleuwyr cost is fel *Wanda* yn ei chael yn anodd ennill cyfran o'r farchnad. **d**

Fodd bynnag, efallai nad yw amcanion corfforaethol mor bwysig i *Pinewood* gan ei fod eisoes yn llwyddiannus dros ben gyda 36 o lwyfannau ffilm yn y DU a 31 dramor. **e** Mae rhai ffilmiau enwog fel *Star Wars* wedi'u ffilmio yma. Fodd bynnag, , efallai nad yw amcanion corfforaethol mor bwysig i *Pinewood* gan ei fod eisoes yn llwyddiannus dros ben gyda 36 o lwyfannau ffilm yn y DU a 31 dramor. **f** Byddai hon yn strategaeth well na gwastraffu amser ar amcanion corfforaethol ac mae'n golygu y gall *Pinewood Studios* 'ragori ar ddisgwyliadau ein cwsmeriaid'. **g**

I gloi, er y gall amcanion corfforaethol fod yn bwysig i fusnesau sy'n newydd i'r farchnad, i stiwdio ffilm sydd wedi hen ennill ei phlwyf fel *Pinewood Studios*, mae'n well iddi fuddsoddi mewn prosiectau i wella ei mantais gystadleuol. **h**

e **Dyfarnwyd 9/12 marc** [a] Mae'r myfyriwr yn rhoi diffiniad o amcanion corfforaethol am 1 marc AA1. [b] Mae'r myfyriwr yn rhoi rheswm pam y mae amcanion corfforaethol yn bwysig yn eu cyd-destun, gan ennill 1 marc AA2 ac 1 marc AA3. [c] Mae'r myfyriwr yn datblygu'r pwynt dadansoddol ac yn ennill 1 marc AA3. Fodd bynnag, mae'r cyd-destun a ddefnyddir yn gyfyngedig, felly nid yw'n ennill marc pellach. [d] Mae'r myfyriwr yn rhoi mantais bellach i amcanion corfforaethol, gyda defnydd da o'r darn. Mae'n ennill 1 marc AA3 ac 1 marc AA2. [e], [f] a [g] Yna, mae'r myfyriwr yn ceisio gwerthuso pam nad yw amcanion corfforaethol mor bwysig, gan ddangos dealltwriaeth am 1 marc AA1, ond dim ond gwerthusiad cyfyngedig sydd, felly dim ond 1 marc AA4 a enillir. Gwneir hyn gan ddefnyddio tystiolaeth o'r darnau, felly mae'n ennill 1 marc AA2. [h] Mae'r myfyriwr yn ceisio dod i gasgliad sy'n wan ac yn ailadrodd pwyntiau cynharach. Nid yw, felly, yn ennill clod pellach.

Myfyriwr B

Nodau sy'n cael eu pennu gan fusnes mawr fel cwmni cyfyngedig cyhoeddus yw amcanion corfforaethol. [a] Mae amcanion corfforaethol yn bwysig i *Pinewood Studios* gan eu bod yn ei helpu i flaengynllunio'r prosiect ehangu gwerth £200 miliwn, gan nodi bod ganddo set glir o nodau y gall rhanddeiliaid fel yr 8,000 o staff a buddsoddwyr weithio tuag atyn nhw. [b] Er enghraifft, heb nodau a thargedau clir sy'n nodi amcanion tymor hir y prosiect, mae *Pinewood* yn annhebygol o ennill y buddsoddiad preifat o £194 miliwn sydd ei angen i wneud y prosiect yn llwyddiant. [c] O ganlyniad, ni fyddai *Pinewood Studios* yn gallu ehangu ei stiwdios yn ystod y 15 mlynedd nesaf, gan arwain at y risg o golli allan ar gynyddu refeniw uwchlaw'r £75 miliwn yn 2015. A gallai hyn hefyd leihau ei fantais gystadleuol o'i gymharu â chystadleuwyr newydd fel *Wanda*. [d]

Fodd bynnag, gall amcanion corfforaethol fod yn aneglur ac ni all rheolwyr o fewn *Pinewood Studios* eu dehongli mewn ffordd sy'n sicrhau defnydd mwyaf effeithlon o'r £200 miliwn. [e] Efallai y bydd staff creadigol fel y rhai a fyddai'n gweithio ar lwyfannau ffilm newydd yn dehongli 'rhagori ar ddisgwyliadau ein cwsmeriaid' mewn ffordd wahanol i'r hyn a ragwelwyd gan uwch reolwyr wrth iddyn nhw greu'r amcanion. [f] Byddai hyn yn creu diffyg posibl o ran maint yn ogystal â risg y byddai'r amcanion yn mynd yn aneffeithiol o ran sicrhau twf dros gyfnod o 15 mlynedd yr ehangiad [g]

Fodd bynnag, mae creu amcanion corfforaethol yn caniatáu i reolwyr *Pinewood Studios* ar bob lefel, o Ivan Dunleavy i lawr, fonitro perfformiad y busnes yn erbyn y targedau a'r amcanion a osodwyd. [h] O ganlyniad, os oes unrhyw gamgyfathrebu â staff ynglŷn â sut a beth mae *Pinewood Studios* am ei gyflawni, gellir unioni hyn. [i] Er enghraifft, pe bai'r amcanion yn cael eu rhannu'n dargedau mwy hylaw, fel adeiladu 12 llwyfan bob blwyddyn, yna pe na bai hyn yn cael ei gyflawni, byddai *Pinewood Studios* yn gallu mynd i'r afael â'r materion hyn yn gynnar, gan sicrhau bod amser ac arian yn cael eu gwario'n effeithlon. Byddai hefyd yn lleihau'r risgiau o fethiant yn sylweddol. [j]

Efallai nad yw amcanion corfforaethol mor bwysig i *Pinewood Studios* gan ei fod yn ddiwydiant creadigol sy'n symud yn gyflym a lle mae staff yn debygol o weithio'n annibynnol ar y cyfan. Mae hyn yn golygu y gall amcanion o'r fath greu'r risg o lesteirio arloesedd a'r sgiliau sydd fel petaen nhw'n denu gwneuthurwyr ffilmiau UDA. [k] Os yw staff yn gweld nad camau mawr yw'r ffordd mwyach, ac yn darganfod arloesi mwy proffidiol fel rhith-wirionedd (*virtual reality*), gall amcanion corfforaethol leihau Pwynt Gwerthu Unigryw (USP) *Pinewood Studios* ac, yn y tymor hir, bydd yn gyrru cwsmeriaid i stiwdios eraill sydd wedi arloesi fel *Wanda*, gan greu'r risg o golledion sylweddol. [l]

Heb amcanion corfforaethol, byddai sefydliad mawr fel *Pinewood Studios*, sydd wedi'i wasgaru dros 67 o lwyfannau ffilm ledled y byd, mewn perygl mawr o fethu yn y tymor hir oherwydd diffyg cyfeiriad a thargedau clir. **m** Mae amcanion corfforaethol, felly, yn hanfodol bwysig i lwyddiant y stiwdio a gall *Pinewood Studios* leihau'r risg sy'n gysylltiedig â thargedau o'r fath drwy ddefnyddio technolegau fel CAMPUS (SMART), **n** er enghraifft, drwy sicrhau bod gan bob amcan ar bob lefel gyfyngiadau amser clir. **o** Y ffordd hon, mae twf tymor hir *Pinewood Studios* yn fwy tebygol o gael ei chyflawni yn y tymor hir. **p**

e **Dyfarnwyd 12/12 marc** **a** Mae'r myfyriwr yn rhoi diffiniad o amcanion corfforaethol, gan ennill 1 marc AA1. **b**, **c** a **d** Mae'r myfyriwr yn rhoi rheswm pam y mae amcanion corfforaethol yn bwysig, gan ddefnyddio'r darnau a dangos cymhwysiad da a dadansoddiad da. Mae'n ennill 2 farc AA2 a 2 farc AA3. **e**, **f** a **g** Mae'r myfyriwr yn rhoi gwerthusiad da o amcanion corfforaethol gyda chyd-destun a dealltwriaeth dda o'r modd y gall amcanion corfforaethol fod yn aneffeithiol. Mae'n ennill 1 marc AA1 a 2 farc AA4. **h**, **i** a **j** Mae'r myfyriwr yn rhoi mantais bellach o amcanion corfforaethol gyda dadansoddiad a chyd-destun ardderchog. Mae'n ennill 2 farc AA3. **k** a **l** Mae'r myfyriwr yn gwerthuso pam y gall amcanion corfforaethol fod yn ddibwys i *Pinewood Studios* gyda gwerthusiad rhagorol. Mae'n ennill 1 marc AA4. **m**, **n**, **o** a **p** Mae'r myfyriwr yn rhoi casgliad rhesymedig gydag argymhelliad ynghylch sut i leihau'r risg o ddefnyddio amcanion corfforaethol yn ei gyd-destun. Mae'n ennill 1 marc AA4.

Mae Myfyriwr A yn gwneud defnydd da o'r darn ac yn rhoi dadansoddiad a gwerthusiad o'r cysyniad busnes, ond mae ei ateb wedi'i ddrysu mewn mannau ac mae diffyg manylion. Mae dod i gasgliad yn gallu bod yn anodd i nifer o fyfyrwyr. Yr hyn i'w osgoi yw peidio ag ailadrodd yr hyn rydych chi wedi'i ddweud yn eich ateb blaenorol. O ganlyniad, mae'r ateb yn ennill marc isel neu dim marc o gwbl. Fodd bynnag, mae'n dal i fod yn ymateb cymharol dda (gradd B).

Mae Myfyriwr B yn datblygu sawl pwynt bach yn fanwl, sy'n ffordd arall o sgorio'n uchel. Gwneir defnydd rhagorol o dystiolaeth o'r darnau a rhoddir barn glir sy'n gysylltiedig ag elfennau MOPS. Mae effaith tymor hir diwylliant corfforaethol hefyd yn cael ei hystyried (gradd A*).

Dadansoddiad SWOT a phum grym Porter

Mae *Pinewood Studios* yn ystyried sut i reoli ei amcan o ddyblu o ran maint ac mae dau opsiwn yn cael eu hystyried gan ddefnyddio dadansoddiad SWOT a phum grym Porter.

Dadansoddwch a gwerthuswch y ddau opsiwn hyn ac argymhellwch pa un sydd fwyaf addas ar gyfer busnes tynnu'r fel allan *Pinewood Studios*. (14 marc)

e Mae'r gorchymyn 'dadansoddwch' a 'gwerthuswch' yn golygu bod angen i chi adolygu manteision ac anfanteision y ddau opsiwn yn fanwl yn ogystal â'r term busnes, gan ddefnyddio deunydd o'r darnau. Bydd angen i chi bwyso a mesur cryfderau a gwendidau i gefnogi barn benodol, gan ffurfio argymhelliad a chasgliad. Dylid defnyddio'r darnau i roi cymhwysiad.

AA1: am roi rheswm, diffiniad neu ryw wybodaeth o ddadansoddiad SWOT neu bum grym Porter, gan ddangos dealltwriaeth ardderchog o'r termau busnes hyn. Mae hyn yn werth hyd at 3 marc.

AA2: am gymhwysiad da o sut y gall dadansoddiad SWOT a phum grym Porter fod yn berthnasol i *Pinewood Studios* gyflawni twf. Bydd angen i chi gyfeirio at y darnau'n glir er mwyn cefnogi eich dadl. Mae hyn yn werth hyd at 3 marc.

AA3: am roi dadansoddiad da o sut y mae'r materion a nodwyd yn bwysig i lwyddiant *Pinewood Studios*. Mae hyn yn werth hyd at 3 marc.

AA4: am roi gwerthusiad rhagorol o'r ffactorau perthnasol sy'n effeithio ar rinweddau dadansoddiad SWOT a phum grym Porter, sy'n cael eu hasesu yng nghyd-destun *Pinewood Studios*. Dylech wneud dyfarniad am y termau busnes yng nghyd-destun y cwestiwn ac, o bosibl, gynnig argymhelliad a chasgliad ynglŷn â'r ffordd orau i *Pinewood Studios*. Mae hyn yn werth hyd at 5 marc.

Myfyriwr A

Mae SWOT yn golygu cryfderau a gwendidau mewnol, a chyfleoedd a bygythiadau allanol (*internal strengths and weaknesses, and external opportunities and threats*). **a** Un o fanteision dadansoddiad SWOT i *Pinewood Studios* yw ei fod yn caniatáu i'r busnes ystyried unrhyw fygythiadau allanol i'w brosiect ehangu gwerth £200 miliwn **b** Gall *Pinewood Studios* hefyd ystyried cyfleoedd y gall fanteisio arnyn nhw wrth fynd drwy'r broses hon o ehangu. **c** Er enghraifft, bydd mwy o wneuthurwyr ffilm yn dymuno defnyddio'r cyfleusterau pan fyddan nhw wedi cael eu hadeiladu, felly gall *Pinewood Studios* fanteisio ar y galw hwn. **d** Drwy ddefnyddio dadansoddiad SWOT, gall *Pinewood Studios* ragfynegi faint o elw y gall ei wneud o'r ehangiad. **e**

Fodd bynnag, efallai na fydd dadansoddiad SWOT yn nodi bygythiadau i'r prosiect ehangu gan stiwdios eraill. **f** O ganlyniad, efallai y bydd yr ehangiad yn methu ac fe allai'r busnes golli unrhyw elw yr oedd yn ei ddisgwyl o'r prosiect gwerth £200 miliwn. **g**

Mae dadansoddiad Pum Grym Porter yn ystyried bygythiad newydd-ddyfodiaid i'r farchnad stiwdio ffilm. **h** Er enghraifft, gan fod y prosiect ehangu yn mynd i gymryd tua 15 mlynedd, efallai y bydd stiwdios newydd yn cael eu hadeiladu a all gynnig yr un cyfleusterau am lai o gost. **i** Oherwydd bod gwneud ffilmiau yn broses gostus, byddai dadansoddiad Pum Grym Porter yn nodi bod pŵer bargeinio'r prynwyr yn uchel, ac efallai y byddan nhw'n penderfynu peidio â defnyddio'r stiwdios newydd a adeiladwyd gan *Pinewood* a mynd i stiwdios eraill yn lle. **j** O ganlyniad, byddai dadansoddiad Pum Grym Porter yn dangos y byddai risg uchel o'r prosiect ehangu yn methu, gan arwain at *Pinewood Studios* yn colli llawer o arian. **k**

Byddai dadansoddiad Pum Grym Porter yn opsiwn gwell i *Pinewood Studios* ei ddefnyddio gan y gall nodi darpar gystadleuwyr a allai achosi risg i'r busnes, ac yna gallai *Pinewood Studios* sicrhau ei fod yn cymryd camau i sicrhau nad yw'r cystadleuwyr hyn yn effeithio ar ei gynlluniau ehangu. **l**

e **Dyfarnwyd 9/14 marc** a Mae'r myfyriwr yn rhoi diffiniad o SWOT, gan ennill 1 marc AA1. b Mae'r myfyriwr yn rhoi tystiolaeth o berthnasedd dadansoddiad SWOT i'r cwestiwn, gan ennill 1 marc AA1 ac 1 marc AA2. c a d Mae'r myfyriwr yn datblygu mantais o ddadansoddiad SWOT i *Pinewood Studios* gyda thystiolaeth, er ei fod yn gwneud tybiaethau, felly mae'n ennill 1 marc AA2 ac 1 marc AA3. e Mae'r myfyriwr yn gwneud tybiaeth ysgubol o fantais SWOT sydd ddim yn cael ei datblygu, felly nid yw'n ennill marciau. f a g Mae'r myfyriwr yn ceisio gwerthuso SWOT drwy ddefnyddio tystiolaeth, ond gan nad yw hyn yn cael ei ddatblygu ac yn seiliedig ar dybiaeth, dim ond 1 marc AA4 a enillir ganddo. h ac i Mae'r myfyriwr yn ceisio rhoi mantais o ddadansoddiad Pum Grym Porter gyda thystiolaeth, gan ennill 1 marc AA2 ac 1 marc AA3. j a k Mae'r myfyriwr yn ceisio gwneud pwynt dadansoddol pellach am ddadansoddiad Pum Grym Porter, ond gan ei fod yn seiliedig ar dybiaethau, dim ond 1 marc AA1 a enillir ganddo. l Mae'r myfyriwr yn ceisio rhoi argymhelliad, ond mae'n arwynebol ac nid yw'n gwneud cymhariaeth â'r dadansoddiad SWOT, felly nid yw'n ennill unrhyw farciau.

Myfyriwr B

Mae dadansoddiad SWOT a phum grym Porter yn anelu at roi fframwaith strategol a thactegol i *Pinewood Studios* ystyried yr amgylchedd y mae'r busnes yn gweithredu ynddo fel y gall y busnes lunio cynllun i reoli unrhyw faterion posibl a allai effeithio ar ei amcan o ddyblu o ran maint. a Mae dadansoddiad SWOT yn ddull ar gyfer dadansoddi busnes, ei adnoddau a'i amgylchedd ac mae'n golygu cryfderau a gwendidau mewnol a chyfleoedd a bygythiadau allanol. b Er enghraifft, efallai mai cryfder mewnol allweddol *Pinewood Studios* yw ei record hir o lwyddiant wrth reoli cynyrchiadau ffilm mawr fel ffilmiau James Bond, ynghyd a grŵp bach o dechnegwyr medrus iawn. c. Mae hyn yn golygu bod cynyrchiadau UDA yn fwy tebygol o ddefnyddio cyfleusterau *Pinewood Studios* a chan fod maint y math hwn o waith yn sylweddol ar £1.2 biliwn, ymddengys fod SWOT yn awgrymu, cyn belled â bod y lefel uchel hon o sgiliau yn cael ei chynnal, fod yr amcan o ddyblu o ran maint yn gyraeddadwy. d Un bygythiad allweddol i *Pinewood Studios* yw stiwdios yr Unol Daleithiau ac, yn y tymor hir, stiwdios newydd China fel y rhai sy'n cael eu hadeiladu gan y *Wanda Group*. e Mae dadansoddiad SWOT yn galluogi *Pinewood Studios* i nodi'r bygythiadau hyn ac yna datblygu strategaethau i'w trosi'n gryfderau. f Er enghraifft, byddai *Pinewood Studios* yn dyblu o ran maint a'r ffaith bod ganddi dechnegwyr mwy medrus na stiwdios China yn rhwystr i gystadleuwyr o'r fath allu niweidio'r ehangiad drwy dynnu cwsmeriaid oddi arnyn nhw. g

Fodd bynnag, mae dadansoddiad SWOT yn tueddu i orsymleiddio'r dadansoddiad o fygythiadau a chyfleoedd. h Er enghraifft, efallai y bydd yna gystadleuwyr posibl, sydd ddim yn hysbys eto i *Pinewood Studios*, a allai dynnu cwsmeriaid oddi wrth eu cyfleusterau. Gallai hyn beryglu'r dyblu mewn twf. i

Mae dadansoddiad Pum Grym Porter yn fframwaith ar gyfer dadansoddi natur cystadleuaeth o fewn diwydiant neu farchnad. Mae'n ystyried yn benodol fygythiad newydd-ddyfodiaid i farchnad, pŵer bargeinio cyflenwyr a chwsmeriaid, bygythiad cynnyrch cyfnewid a'r gystadleuaeth gystadleuol. j Mewn rhai ffyrdd, mae dadansoddiad Pum Grym Porter yn caniatáu i *Pinewood Studios* gwblhau'r un dadansoddiad o'r bygythiadau i'w gynllun ehangu gwerth £200 miliwn fel y mae dadansoddiad SWOT yn ei wneud. k Er enghraifft, byddai'n annog *Pinewood Studios* i ystyried yn fanwl y bygythiad i'w brosiect ehangu gan gystadleuwyr o China a'r Unol Daleithiau yn union fel y byddai dadansoddiad SWOT yn ei wneud. l

Fodd bynnag, gellir ystyried dadansoddiad Pum Grym Porter fel dull gwell i *Pinewood Studios* ei ddefnyddio am ei fod yn rhoi fframwaith mwy mawnl i'w ddefnyddio i ddadansoddi'r farchnad stwidio ffilm. **m** Gall bygythiadau gan newydd-ddyfodiaid ddangos mai dim ond ychydig o fusnesau sy'n dominyddu'r farchnad fel *Pinewood*, felly mae'n bosibl y bydd dadansoddiad Pum Grym Porter yn disgrifio'r gystadleuaeth rhwng y busnesau fel un isel. **n** Hefyd, gallai rhwystrau i fynediad — gallu cystadleuwyr i fynd i mewn i farchnad — gael eu hystyried yn uchel iawn ar gyfer y diwydiant hwn, yn seiliedig ar y swm mawr o arian sydd ei angen i sefydlu stiwdio, ynghyd â'r rhwystrau technegol i fynediad a gyflawnir gan *Pinewood Studios* yn meddu ar weithlu unigryw a medrus iawn. **o** Felly, mae dadansoddiad Pum Grym Porter yn caniatáu i *Pinewood Studios* wneud dadansoddiad manylach ac yn tynnu sylw at benderfyniadau posibl darpar gystadleuwyr a allai beryglu ei ehangiad, ac mae'n bosibl nad yw dadansoddiad SWOT wedi dangos hynny. **p** Fodd bynnag, mae dadansoddiad Pum Grym Porter yn rhagdybio nad yw grymoedd y farchnad yn newid, ond mae'n amlwg bod y diwydiant ffilm yn newid, er enghraifft, yr angen am sgiliau sy'n fwy o'r radd flaenaf i wneud ffilmiau. **q** Ni fyddai dadansoddiad Pum Grym Porter ychwaith yn ystyried yr effaith gadarnhaol fawr ac amlwg sydd gan gymhellion treth ar y diwydiant ffilm. Mae'r cymhellion hyn yn annog cwmnïau cynhyrchu Hollywood i ddewis defnyddio stiwdios *Pinewood*. **r** Gallai dadansoddiad SWOT ystyried y materion hyn yn ei fframwaith, felly gellir ei ystyried fel dull o ddadansoddi sydd â llai o risg. **s**

Drwy ddefnyddio dadansoddiad SWOT, neu bum grym porter yn unig, mae perygl o golli allan ar y broses o nodi, dadansoddi a chreu strategaeth gorfforaethol eang ei chwmpas ar gyfer ymdrin â phrosiect ehangu dros gyfnod o 15 mlynedd, ac mae hyn yn rhywbeth y bydd buddsoddwyr yn pryderu yn ei gylch. **t** Mae angen i *Pinewood Studios* ddefnyddio ystod eang o ddulliau gwneud penderfyniadau, gyda dadansoddiad SWOT a phum grym Porter yn ddim ond dau o'r dulliau gwneud penderfyniadau yn seiliedig ar dystiolaeth sydd eu hangen i sicrhau bod risgiau twf yn cael eu cadw i'r lleiafswm. **u** Mae buddsoddwyr yn debygol o ymddiried cymaint yng ngreddf a sgiliau gwneud penderfyniadau goddrychol y Prif Weithredwr, Ivan Dunleavy, am fod ganddo hanes hir o lwyddiant gyda *Pinewood*. **v** Mae angen defnyddio'r holl ddulliau hyn dros gyfnod o 15 mlynedd er mwyn sicrhau bod yr amcan o ddyblu twf yn llwyddiannus. **w**

e **Dyfarnwyd 14/14 marc** **a** Mae'r myfyriwr yn nodi diben dadansoddiad SWOT a phum grym Porter yn ogystal â mantais, gan ennill 1 marc AA1. **b** Mae'r myfyriwr yn rhoi diffiniad o SWOT, gan ennill 1 marc 1 AA1 pellach. **c** a **d** Mae'r myfyriwr yn datblygu mantais o ddadansoddiad SWOT yn fanwl gyda thystiolaeth, ac felly'n ennill 1 marc AA2 ac 1 marc AA3. **e** Mae'r myfyriwr yn dangos sut y gall dadansoddiad SWOT helpu i nodi bygythiad posibl yng nghyd-destun *Pinewood Studios*. Mae'n ennill 1 marc AA1 ac 1 marc AA3. **f** a **g** Mae'r myfyriwr yn nodi mantais o ddadansoddiad SWOT wrth allu gwrthsefyll bygythiad posibl, gan ddefnyddio tystiolaeth o'r darnau. Mae'n ennill 1 marc AA3. **h** ac **i** Mae'r myfyriwr yn gwerthuso dadansoddiad SWOT ond prin yw'r datblygiad, felly dim ond 1 marc AA4 a enillir ganddo. **j**, **k** a **l** Mae'r myfyriwr yn rhoi diffiniad o ddadansoddiad Pum Grym Porter gyda thystiolaeth wrth ei gymharu â dadansoddiad SWOT. Mae'n ennill 1 marc AA1. **m**, **n** ac **o** Yna, mae'r myfyriwr yn rhoi enghraifft ddatblygedig o'r modd y gall dadansoddiad Pum Grym Porter fod o fwy o fudd i *Pinewood Studios* na dadansoddiad SWOT wrth helpu i sicrhau'r amcan o ddyblu twf. Ceir hefyd ddefnydd manwl o dystiolaeth ganddo. Mae'n ennill 1 marc AA3. **p**, **q** a **r** Mae'r gymhariaeth o ddadansoddiadau SWOT a phum grym Porter yn parhau, gyda defnydd da o dystiolaeth o'r darnau. Mae'n ennill 1 marc AA4. **s** Mae'r myfyriwr yn gwerthuso dadansoddiad SWOT yn erbyn y dadansoddiad Pum Grym Porter yn gryno, ond prin yw'r datblygiad, felly nid yw'n ennill unrhyw glod pellach. **t** Mae'r myfyriwr yn dod i gasgliad sy'n ystyried goblygiadau ehangach y ddwy ymagwedd bosibl i'r ehangiad. Mae'n ennill 1 marc AA4. **u**, **v** ac **w** Mae'r myfyriwr yn gwneud argymhelliad clir ac yn amlinellu'n gryno sut y gellid gweithredu hyn, gan edrych ar elfennau MOPS a defnyddio gwybodaeth ehangach o'r dylanwadau ar benderfyniadau busnes gyda thystiolaeth. Mae'n ennill 2 farc AA4.

Mae ateb myfyriwr A yn ddiffygiol o ran manylder, a gellid bod wedi datblygu'r syniadau yn fwy eglur. Defnyddir peth tystiolaeth i gefnogi'r pwyntiau a wnaed, ond mae'r ateb yn neidio o un pwynt i'r llall. Efallai y bydd y myfyriwr wedi elwa o ysgrifennu cynllun byr cyn mynd ati i ysgrifennu ei ateb, sy'n strategaeth dda ar gyfer cwestiynau hirach. At ei gilydd, gradd C.

Mae myfyriwr B yn gwneud defnydd rhagorol o ystod eang o gysyniadau busnes ac yn cynnwys gwybodaeth fanwl o ddadansoddiad SWOT a phum grym Porter, gan gymharu cryfderau a gwendidau'r ddau yng nghyd-destun amcan *Pinewood Studios* o ddyblu mewn maint. Problem sy'n gallu codi gyda'r math hwn o gwestiwn yw bod ceisio dangos manteision pob dull mewn manylder yn arwain at brinder amser, gan atal y myfyriwr rhag cwblhau'r ateb. Mae'r myfyriwr hwn wedi dilyn dull gwell ac wedi nodi dim ond un neu ddwy enghraifft allweddol o ddadansoddiad SWOT a phum grym Porter. Gallai fod wedi datblygu hyn ymhellach, ond mae'r ateb yn dal i fod yn un rhagorol, ac mae'r argymhelliad a'r gweithrediad hefyd yn dangos dealltwriaeth o gysyniadau busnes cysylltiedig. Mae'r myfyriwr yn ennill marciau llawn (gradd A*).

Atebion profi gwybodaeth

1 Drwy ddadansoddi'r gwerthiant ar gyfer pob diwrnod, gall y siop ragfynegi pa ddiwrnod sydd â'r galw mwyaf am ei chacennau. Yna, gallai'r siop archebu mwy o stoc ar gyfer y diwrnod hwnnw er mwyn annog rhagor o werthiant.

2 Mae elastigedd pris y galw yn mesur ymatebolrwydd y galw ar ôl newid yn y pris. Y fformiwla yw:

$$\text{PED} = \frac{\text{newid canrannol yn y swm a fynnir}}{\text{newid canrannol yn y pris}}$$

3 Un fantais yw na fydd y galw'n lleihau'n sylweddol os yw pris y nwyddau'n mynd i fyny. Mae hyn yn berthnasol i lawer o frandiau moethus fel bagiau llaw *Gucci* neu *iPhones* gan *Apple*. Fodd bynnag, ychydig iawn o nwyddau sy'n gwbl anelastig, felly mae yna bwynt lle bydd cwsmeriaid yn penderfynu peidio â phrynu *iPhone*, os teimlir ei fod yn rhy ddrud. Er enghraifft, a fyddech chi'n talu £1,000 am *iPhone X*?

4 Mae elastigedd incwm y galw yn mesur ymatebolrwydd y galw ar ôl newid yn incwm y cwsmer. Y fformiwla yw:

$$\text{YED} = \frac{\text{newid canrannol yn y swm a fynnir}}{\text{newid canrannol mewn incwm}}$$

5 Pan mae incwm cwsmeriaid yn cynyddu. Y rheswm am hyn yw bod cynnyrch *Aldi* ar ben disgownt nwyddau'r archfarchnad, ac felly maen nhw'n debygol o gael eu dosbarthu fel nwyddau israddol.

6 Dylid lleihau'r rhagfynegiad gwerthiant ar adeg o ddirwasgiad economaidd am nad oes gan gwsmeriaid bellach yr incwm gwario i dalu am bryniannau moethus o'r fath

7 Demograffeg poblogaeth fyddai un sefyllfa gan eu bod yn newid yn gymharol araf dros amser.

8 Ar ôl newid i redeg gwefan ar-lein yn unig, nid oes gan yr *Independent* bellach gostau o ran argraffu a dosbarthu papur newydd ffisegol.

9 Mae un math o werthwr yn werthwr bwyd cyflym fel *Subway*, gan fod y bwyd yn gynnyrch sydd ddim yn cadw (*perishable*) y mae angen ei baratoi a'i werthu'n gyflym.

10 Un enghraifft yw garej sy'n gwerthu ceir moethus lle mae nifer y prynwyr yn gymharol fach oherwydd pris isel y ceir.

11 Mae'n debygol o fod o fudd i fusnes sydd â geriad uchel gan y bydd gan y busnes lawer o ddyled, sy'n arwain at gostau llog uchel. Os ydy'r llog yn isel bydd llai o log i'w dalu. Bydd mwy i'w dalu os bydd y llog yn cynyddu.

12 Mae penderfyniadau i fuddsoddi yn seiliedig ar lawer o ffactorau, nid ar berfformiad blaenorol busnes yn unig. Gan nad oes gan y fenter newydd unrhyw gyfrifon, bydd angen defnyddio dogfennau eraill fel cynlluniau busnes a rhagfynegiadau gwerthiant a llif arian yn lle hynny. Bydd gan fuddsoddwyr hefyd ddiddordeb yn ffigurau gwerthiant y *Land Rover Defender*, pam y stopiodd gael ei adeiladu a'r galw posibl gan gwmseriaid ar hyn o bryd.

13 Un enghraifft yw *IKEA*. Ar hyn o bryd, mae'r cwmni ar y trywydd iawn i weithredu 324 o dyrbinau gwynt a 700,000 o baneli solar fel y bydd y busnes yn cynhyrchu ei holl bŵer ei hun erbyn 2020. Nod *IKEA* yn 2017 yw bod 50% o'i gynnyrch pren yn dod o goedwigoedd cynaliadwy.

14 Un rheswm yw y gall creu cysylltiad rhwng gweledigaeth y busnes a pha mor hanfodol yw ei staff i gyflawni'r weledigaeth. Un enghraifft yw datganiad cenhadaeth *IKEA*: 'Ein gweledigaeth yw gwneud bywyd bob dydd yn well i lawer o bobl'. Gall hyn gymell staff wrth iddyn nhw ei gyfleu i'r gwasanaeth cwsmeriaid y maen nhw'n ei gynnig. Gallan nhw anelu at y nod hwn yn bersonol.

15 Un rheswm yw nad yw'r busnes, y tîm neu'r aelod o staff, o bosibl, yn deall yn union beth mae'r amcan am iddyn nhw ei gyflawni, felly hyd yn oed gydag ymdrech fawr, efallai nad y canlyniad yw'r hyn a ddymunwyd yn y lle cyntaf.

16 Gallai cael person annibynnol fel ymgynghorydd rheoli i gyflawni'r dadansoddiad SWOT osgoi'r perygl o beidio â bod yn ddigon beirniadol o'r busnes o ran ei wendidau a'i fygythiadau allanol. Gall hefyd ryddhau amser rheolwyr, yn enwedig mewn marchnad ddynamig lle mae'r amser i ystyried pob penderfyniad yn un premiwm a gellir colli mantais gystadleuol drwy ganolbwyntio gormod ar ddadansoddiad SWOT.

17 Gan nad yw China yn caniatáu symud gwybodaeth yn rhydd ac yn rheoli mewnfuddsoddiadau yn ofalus, bydd yn anodd casglu'r math o ymchwil i'r farchnad sydd ei hangen i edrych ar gystadleuwyr presennol, er enghraifft maint busnes. Hefyd yn China, mae'r wladwriaeth yn rheoli'n llym pwy sy'n gallu mynd i farchnadoedd lleol ac yn aml mae'n rhaid i fusnesau bartneru â chwmnïau lleol i gael mynediad. Ni chaiff grymoedd nad ydyn nhw'n rhai'r farchnad, fel y rhain, eu hystyried yn fframwaith y Pum Grym.

18 Y ffordd orau o fynd ati fyddai treiddio i'r farchnad gan y byddai hyn yn cynnal neu'n cynyddu cyfran y cynnyrch o'r farchnad yn y farchnad bresennol.

19 Efallai y bydd angen i fusnes mewn marchnad ddynamig ymateb yn gyflym i newidiadau sydyn drwy ennill y sgiliau sydd eu hangen arno gan fusnes arall er mwyn cael mantais gystadleuol, felly byddai twf allanol yn fwy priodol.

20 Os yw'r tîm rheoli wedi gwrthsefyll y trosfeddiannu, byddan nhw naill ai'n gadael y busnes newydd neu'n cael eu gorfodi i adael. Gall hyn arwain at y busnes yn colli ei allu rheoli, yn enwedig os oes gan y rheolwyr sgiliau a gwybodaeth arbenigol.

21 Roedd *Microsoft* eisoes yn gweithio'n agos gyda *Nokia* a chan fod gan y ddau fusnes alluoedd gwahanol ond cyflenwol – gweithgynhyrchu caledwedd a meddalwedd – arweiniodd hyn at y ffit strategol orau o ran technoleg a mwy o awydd cystadleuol.

22 Mae gan UDA yn ogystal â Llywodraeth y DU y pŵer i stopio cydsoddiad os ydyn nhw'n teimlo nad yw er lles cwsmeriaid. Mae hyn yn arbennig o wir yma gan y byddai cydsoddiad rhwng *Coca-Cola* a *PepsiCo* yn golygu monopoli pwerus a byddai Llywodraeth UDA yn poeni y byddai hyn yn arwain at brisiau uwch ac ychydig iawn o gymhelliant i'r busnes newydd arloesi neu leihau costau. Byddai *Coca-Cola* a *PepsiCo* fwy na thebyg yn dadlau, gyda chystadleuaeth fyd-eang uwch, y byddai monopoli o fudd i gwsmeriaid drwy gynyddu darbodion maint, gan arwain at gostau a phrisiau is.

23 Efallai fod *Apple* wedi creu ei bencadlys newydd er mwyn rhesymoli ei weithrediadau drwy ymgartrefu ei holl staff mewn un adeilad sy'n cael ei redeg yn llwyr gan ynni adnewyddadwy. Mae'r cam hwn hefyd yn caniatáu i benderfyniadau ac arloesedd gael eu gwneud ar yr un safle.

24 Mae coed penderfyniadau yn gweithio'n dda pan nad oes ond ychydig o opsiynau i'w hystyried, ond maen nhw'n anodd eu defnyddio pan fo llawer o opsiynau posibl, sydd fwy na thebyg yn wir am orsaf pŵer niwclear gwerth £18 biliwn. Gallai hyn wneud coed penderfyniadau'n fwy effeithiol gan fod modd cofnodi'r data mewn ffordd symlach a gall cyfrifiadur wneud yr holl gyfrifiadau.

25 Er mwyn gwneud y gwaith o ddadansoddi llwybrau critigol yn fwy effeithiol, dylai busnes hefyd ystyried cost a/neu ansawdd pob tasg, gan y gallai hyn effeithio ar yr amser a gymerir.

26 Mae Ad-daliad yna ateb y cwestiwn syml hwnnw 'Pryd ydw i'n cael fy arian yn ôl?'

27 Mae Ad-daliad yn gweithredu fel *reality check* oherwydd gellir ei ystyried fel y dull lleiaf heriol o werthuso buddsoddiad, felly os nad yw buddsoddiad yn gwneud yn dda gyda'r prawf hwn, yna mae'n annhebygol y bydd cyfrifiadau llymach yn dangos adenillion ariannol da.

28 Mae'n anodd meintioli prosiectau sy'n gyfeillgar i'r amgylchedd o ran arian, ac maen nhw ond yn debygol o weld gwobrwyon ariannol yn y tymor canolig i'r tymor hir, a hynny wrth i'r rhagfynegiadau fod mewn perygl o fod yn llawer mwy anghywir.

29 Byddai lefel y cyfraniad fesul uned yn codi. Mae hyn yn golygu y byddai mwy o arian ar gael i'r busnes i helpu i dalu am ei gostau sefydlog.

Sylwch: Mae rhifau tudalennau **print trwm** yn nodi lle mae diffiniadau o dermau allweddol i'w gweld.
Byrfoddau a ddefnyddiwyd: PED ar gyfer elastigedd pris y galw; YED ar gyfer elastigedd incwm y galw.